BURGER!
BURGER!
BURGER!
BURGER!
BURGER!
BURGER!
BURGER!
BURGER!
BURGER!
BURGER!
BURGER!
BURGER!
BURGER!

Rezepte und Styling: Valéry Drouet
Fotos: Pierre-Louis Viel

VALÉRY DROUET & PIERRE-LOUIS VIEL

BURGER!

[HOTDOGS UND BAGELS]

VORWORT!

Für einen schnellen Snack oder auch eine gesellige Mahlzeit unter Freunden – Burger, Bagels und Hotdogs sind für jede Gelegenheit genau das Richtige. Ob raffiniert oder einfach zubereitet, Burger stehen für großzügige Gastlichkeit.

Carpaccio-Burger mit Rindfleisch und gegrilltem Gemüse, mit knusprigem Hühnchen, mit Shrimps nach thailändischer Art, mit Entenbrust und Ziegenkäse, sogar süße Burger mit Schokocreme ... Selbst die, die bei dem Begriff Burger (zu Unrecht!) an Junkfood denken, werden angesichts der Rezepte in diesem Buch ihre Einstellung revidieren. Die beiden Geheimnisse eines guten Burgers: frische Zutaten und hausgemachte Saucen (siehe Rezepte Seite 16–17).

Wenn Sie ausreichend Zeit haben, sollten Sie auch die Burgerbrötchen selbst herstellen (siehe Rezepte Seite 12–13). Sie haben auf diese Weise die Möglichkeit, verschiedene Formen herzustellen oder den Teig zu verfeinern (mit Gewürzen oder Kräutern etwa). Selbst farbige Burgerbrötchen sind denkbar. Den letzten Schliff geben Sie Ihrem kulinarischen Kunststück mit Körnern jeglicher Colour, Sesam oder Mohn zum Beispiel.

Wenn nicht, verwenden Sie kleine Brötchen, die es heutzutage in jeder guten Bäckerei gibt, oder Spezialbrötchen, die Sie in größeren Geschäften finden und die ebenso geeignet sind. Oder Sie bestellen bei Ihrem Bäcker die Brötchen »maßgeschneidert« ganz nach Ihrem Geschmack.

In jedem Fall werden Sie Ihre Freunde beeindrucken, wenn Sie ihnen delikate Burger, begleitet von Kartoffel-Galettes, Kräuterkartoffeln oder Krautsalat mit Rosinen (siehe Rezepte Seite 20–21) servieren.

Guten Burgertit!

Valéry Drouet

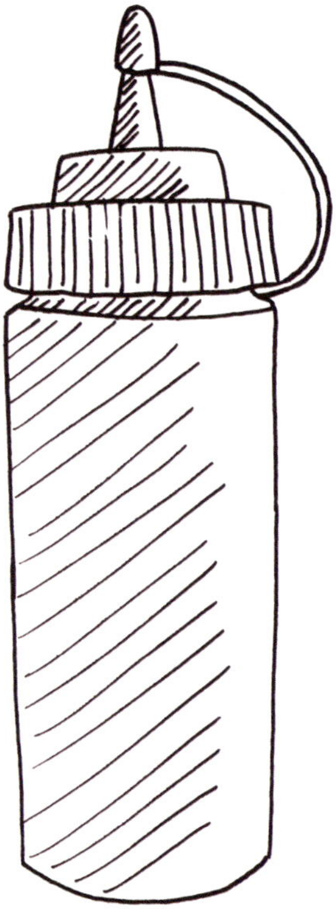

INHALT!

HUHN, SCHWEIN & CO!

FISCH & GEMÜSE!

HOTDOGS & BAGELS!

SÜSSES!

BROT & BRÖTCHEN!

NATUR MIT KÜRBISKERNEN
MIT TINTENFISCH UND MOHN
MIT CURRY UND SESAM
NATUR MIT SESAM
MIT PAPRIKA
MIT EINGELEGTEN TOMATEN

TRADITIONELLE BURGERBRÖTCHEN

Für 6 Burgerbrötchen

Für den Teig
- 400 g Mehl
- 8 g Hefe
- 250 ml lauwarmes Wasser
- 8 g Salz

Für die Zutaten (optional)
- 80 g schwarze Oliven, grob gehackt
- 100 g Speck, gewürfelt und knusprig gebraten
- 80 g Gruyère, gerieben
- 120 g Camembert, fein gewürfelt
- 100 g Chorizo, fein gewürfelt
- 80 g eingelegte Tomaten, fein gewürfelt
- 80 g Nüsse, gehackt
- 1 gehäufter EL Currypulver

Für die Deko (optional)
- 1 Eigelb
- 2 EL Körner Ihrer Wahl: Kümmel, Kreuzkümmel, Anis, Sesam, Mohn ...

› Zubereitung des Teigs: Mehl, Hefe, Wasser und Salz in einer Rührschüssel vermengen. 5 Minuten mit dem Knethaken auf kleiner Stufe kneten, dann die Geschwindigkeit nach und nach erhöhen und 8–10 Minuten weiterkneten. Dabei die Zutaten Ihrer Wahl einarbeiten.

› Aus dem Teig 6 Brötchen formen und auf ein Backblech legen. Das Eigelb mit etwas Wasser verdünnen und die Brötchen damit bepinseln. Die Brötchen mit Körnern Ihrer Wahl bestreuen. 30–45 Minuten bei Zimmertemperatur gehen lassen.

› Den Backofen auf 210 °C vorheizen und eine kleine Schale mit Wasser in den Ofen stellen.

› Die Brötchen 15–20 Minuten backen.

› Die Brötchen abkühlen lassen. Dann vorsichtig in der Mitte durchschneiden und belegen.

- Sie können die Brötchen formen, wie Sie möchten (rund, rechteckig, quadratisch); danach passen Sie Ihre Burger der Brötchenform an.
- Toasten Sie die Burgerbrötchen vor dem Belegen. So schmecken sie besonders gut.
- Sie können Bagels, Hotdogbrötchen, Ciabattabrötchen und Milchbrötchen auch fertig kaufen oder bei Ihrem Bäcker bestellen.

BURGERBRÖTCHEN »SPEZIAL«

Für 6 Burgerbrötchen

Für den Teig

- 500 g Mehl
- 25 g Hefe
- 300 ml lauwarmes Wasser
- 35 g weiche Butter
- 10 g Salz

Für Farbe und Aroma des Teiges (optional)

- Für schwarze Brötchen: 1 gehäufter EL Tinte vom Tintenfisch (von Ihrem Fischhändler)
- Für gelbe Brötchen: 1 TL Kurkuma oder Curry
- Für rote Brötchen: 1 EL Paprikapulver oder 100 g eingelegte Tomaten, fein gewürfelt, oder 1 kräftige Prise Cayennepfeffer

Für die Deko (optional)

- 2 EL Körner Ihrer Wahl: Sesam (schwarz oder weiß), Mohn, Schwarzkümmel, Kürbiskerne, Kreuzkümmel, Kümmel, Leinsamen …

› Zubereitung des Teigs: Mehl, Hefe, Wasser, Butter und Salz in einer Rührschüssel vermengen. Die Zutaten Ihrer Wahl hinzufügen, falls Sie den Teig einfärben oder aromatisieren möchten. 5 Minuten mit dem Knethaken auf kleiner Stufe kneten, dann die Geschwindigkeit nach und nach erhöhen und 5–8 Minuten weiterkneten. Den Teig 30 Minuten bei Zimmertemperatur gehen lassen.

› Aus dem Teig 6 Brötchen formen und auf ein Backblech legen. Die Brötchen mit Körnern Ihrer Wahl bestreuen und weitere 45 Minuten bei Zimmertemperatur gehen lassen.

› Den Backofen auf 210 °C vorheizen und eine kleine Schale mit Wasser in den Ofen stellen.

› Die Brötchen 15 Minuten backen.

› Die Brötchen abkühlen lassen. Dann vorsichtig in der Mitte durchschneiden und belegen.

SAUCEN!

CHILISAUCE
CURRYSAUCE
SAUCE BÉARNAISE

WEISSE KRÄUTERSAUCE

- 120 g Quark oder griechischer Joghurt
- 2 EL Mayonnaise
- 1 Prise Cayennepfeffer
- 1 Knoblauchzehe, gehackt
- 1 Schalotte, gehackt
- 1 Bund Schnittlauch, gehackt
- Salz und Pfeffer aus der Mühle

» Quark oder Joghurt und Mayonnaise in einer Schüssel verrühren. Cayennepfeffer, Knoblauch, Schalotte und Schnittlauch zufügen und gut mischen. Mit Salz und Pfeffer abschmecken. Kalt stellen.

KETCHUP

- 500 g reife Tomaten
- 1 Zwiebel, gehackt
- 1 Knoblauchzehe, gehackt
- 1 Prise Cayennepfeffer
- 100 ml Weinessig
- 100 g Zucker
- Salz und Pfeffer aus der Mühle

» Die Tomaten waschen, entkernen und in kleine Stücke schneiden. In eine Kasserolle geben. Zwiebel, Knoblauch, Cayennepfeffer, Weinessig, Zucker, Salz und Pfeffer zufügen. 1½–2 Stunden bei geringer Hitze köcheln lassen und von Zeit zu Zeit umrühren.

» Die Sauce durch ein Sieb streichen und abkühlen lassen.

HAUSGEMACHTE MAYONNAISE

- 1 Eigelb
- 1 gehäufter EL Senf
- 200 ml Pflanzenöl
- Salz und Pfeffer aus der Mühle
- 1 EL Weinessig

» Eigelb und Senf in einer Schüssel verrühren. Das Öl unter ständigem Schlagen mit dem Schneebesen in dünnem Strahl zugießen. Mit Salz und Pfeffer abschmecken.

» Zum Schluss den Weinessig unterrühren.

Verwenden Sie diese Mayonnaise als Grundlage für weitere Saucen Ihrer Wahl!

Pikanter wird der Ketchup, wenn Sie der Mischung in der Kasserolle eine halbe entkernte Chilischote oder 2 TL Tabasco zufügen.

CURRYSAUCE

- 150 ml Mayonnaise
- 1 gestrichener TL Currypulver
- 1 EL Currypaste
- 2 EL Zitronensaft
- ½ Bund Koriander (optional)

> Mayonnaise und Currypulver in einer Schüssel verrühren. Currypaste und Zitronensaft zufügen. Gegebenenfalls zum Schluss den gehackten Koriander unterrühren. Kalt stellen.

CHILISAUCE

- 2 Schalotten, gehackt
- 1 rote Paprikaschote, entkernt und gehackt
- 100 g Ketchup
- 3 EL Sojasauce
- 2 EL Whisky
- 25 g brauner Zucker

> Schalotten und Paprika in eine Kasserolle geben. Den Ketchup und die restlichen Zutaten zufügen. Alles verrühren und 10 Minuten bei mittlerer Hitze kochen lassen. Die Mischung pürieren und abkühlen lassen.

SAUCE BÉARNAISE

- 250 g Butter
- 60 g Schalotten, gehackt
- 2 EL Estragon, gehackt
- 1 TL Mignonettepfeffer (eine Mischung aus weißem und schwarzen Pfeffer, Piment und Koriander)
- 150 ml Weißweinessig
- 4 Eigelb
- Salz und Pfeffer aus der Mühle

> Die Butter würfeln und im Wasserbad 15–20 Minuten bei geringer Hitze ohne zu rühren schmelzen lassen. Unreinheiten (Kaseine und Molke), die sich an der Oberfläche sammeln, mit einem Schaumlöffel abschöpfen, um so eine geklärte Butter zu erhalten.

> Schalotten, 1 Esslöffel Estragon, Mignonettepfeffer und Weinessig in einer Kasserolle vorsichtig reduzieren. Eigelb und 2 Esslöffel kaltes Wasser unterrühren. Bei geringer Hitze mit dem Schneebesen 6–8 Minuten schlagen, bis die Masse schaumig ist. Die geklärte Butter langsam unter ständigem Rühren zufügen. Mit Salz und Pfeffer abschmecken.

> Die Sauce durch ein Sieb streichen und den restlichen Estragon erst ganz zum Schluss unterrühren.

BEILAGEN!

KARTOFFEL-GALETTES

RÖSTIES

ZWIEBELRINGE

CAJUN-KARTOFFELN

SELLERIEREMOULADE MIT GRAPEFRUIT
ROTKOHLSALAT MIT NÜSSEN
POMMES FRITES
KRAUTSALAT MIT ROSINEN

KARTOFFEL-GALETTES

400 g Kartoffeln / 1 kleine Möhre / ½ grüner Apfel / 1 Ei / 1 EL Crème fraîche / Salz und Pfeffer aus der Mühle / 20 g Butter / 3 EL Öl

› Kartoffeln, Möhre und Apfel schälen und raspeln. Alles in einer Salatschüssel vermengen. Ei, Crème fraîche, Salz und Pfeffer zufügen und gut mischen.

› Butter und Öl in einer Pfanne erhitzen. Die Kartoffelmischung portionsweise zugeben, mit einem Pfannenwender flachdrücken und 8–10 Minuten bei mittlerer Hitze braten. Die Galettes mithilfe eines Tellers wenden und auch von der anderen Seite 8–10 Minuten braten. Die Galettes auf ein mit Backpapier belegtes Backblech legen und weitere 10 Minuten im vorgeheizten Backofen bei 180 °C backen.

RÖSTIES

400 g Kartoffeln / 1 große Zwiebel / 1 Ei, verquirlt / 2 Prisen Muskatnuss / Salz und Pfeffer aus der Mühle / 1 gehäufter TL Butter / 3 EL Öl

› Die Kartoffeln schälen und raspeln. Die Zwiebel schälen und ebenfalls raspeln. Beides leicht mit den Händen ausdrücken und so den Saft auspressen.

› Kartoffeln, Zwiebel, Ei, Muskatnuss, Salz und Pfeffer in einer Schüssel vermengen.

› Butter und Öl in einer Pfanne erhitzen. Die Kartoffelmasse portionsweise in die Pfanne geben und leicht zu kleinen Fladen andrücken. Bei mittlerer Hitze 6–8 Minuten von jeder Seite braten. Mit Salz und Pfeffer abschmecken. Sofort servieren.

SELLERIEREMOULADE MIT GRAPEFRUIT

1 Grapefruit / 3 EL Mayonnaise / 500 g Knollensellerie

› Die Grapefruit schälen und die weiße Haut entfernen. Die Zesten auslösen und fein würfeln. Den Saft auffangen und mit der Mayonnaise verrühren.

› Sellerie schälen und reiben. In einer Schüssel mit den Fruchtwürfeln vermischen. Die Mayonnaise unterrühren und 2 Stunden kalt stellen.

ROTKOHLSALAT MIT NÜSSEN

500 g Rotkohl / 1 EL Honig / 6 EL Nussöl / 4 EL milder Essig / Salz und Pfeffer aus der Mühle / 80 g Walnüsse, grob gehackt /

› Den Rotkohl fein raspeln. In einer Schüssel aus Honig, Nussöl, Essig, Salz und Pfeffer eine Vinaigrette anrühren. Rotkohl und Walnüsse zufügen und gut vermengen. Den Salat 2 Stunden kalt stellen.

ZWIEBELRINGE

2 große gelbe oder weiße Zwiebeln / 1 Ei / 80 g Mehl / 1 El Pflanzenöl / 80–100 ml Milch / Salz / Frittieröl

› Die Zwiebeln schälen und in 3 mm dicke Ringe schneiden.

› Das Ei trennen. Eigelb, Mehl, Pflanzenöl, Milch und Salz in einer Schüssel verrühren. Das Eiweiß zu Schnee schlagen und vorsichtig unterheben.

› Das Frittieröl auf 180 °C erhitzen. Die Zwiebelringe im Teig wenden und 1–2 Minuten frittieren. Auf Küchenpapier abtropfen lassen und sofort servieren.

POMMES FRITES

600 g Kartoffeln / Frittieröl / Salz

› Die Kartoffeln schälen und der Länge nach zu Pommes Frites schneiden. Waschen und in einem Tuch ausdrücken.

› Das Öl auf 150 °C erhitzen und die Pommes 7–8 Minuten frittieren. Abtropfen und erkalten lassen.

› Vor dem Servieren das Öl auf 180–190 °C erhitzen und die Pommes 4–5 Minuten darin frittieren. Auf Küchenpapier abtropfen lassen, salzen und sofort servieren.

CAJUN-KARTOFFELN

600 g kleine Kartoffeln / 50 g Mehl / 130 ml Olivenöl / 60 g Cajun-Gewürzmischung / Salz

› Die ungeschälten Kartoffeln waschen. Jede Kartoffel der Länge nach in 8 Spalten schneiden.

› In einer Kasserolle Wasser mit dem Mehl und 3 Esslöffel Olivenöl zum Kochen bringen. Die Kartoffeln zufügen und 4–5 Minuten kochen lassen. Abgießen.

› Die Kartoffeln mit dem restlichen Öl, den Kräutern und Salz auf ein Backblech geben und sorgfältig mit der Öl-Kräuter-Mischung vermengen. Im vorgeheizten Backofen bei 180 °C 15–20 Minuten backen.

KRAUTSALAT MIT ROSINEN

1 große Möhre / 1 kleine Zwiebel / 400 g Weißkohl / 4 EL hausgemachte Mayonnaise (mit viel Senf) / 1 EL Weinessig / 80 g eingelegte Rosinen

› Möhre und Zwiebel schälen und raspeln. Den Weißkohl ebenfalls raspeln. Alles in einer Schüssel gut vermengen. Mayonnaise, Essig und Rosinen unterrühren. 2 Stunden kalt stellen.

NUR RIND!

ZUBEREITUNGSZEIT: **20 Min.**
GARZEIT: **10 Min.**

ZUTATEN

Für 6 Burger

- 150 g Eisbergsalat
- ½ Zwiebel
- 800–900 g Rinderhackfleisch
- Salz und Pfeffer aus der Mühle
- 3 EL Pflanzenöl
- 6 Burgerbrötchen »Spezial« natur (siehe Rezept S. 13)
- 3 EL hausgemachte Mayonnaise (siehe Rezept S. 16)
- 3 EL Ketchup (siehe Rezept S. 16)
- 12 Scheiben Cheddarkäse

KLASSISCHER CHEESEBURGER

» Den Salat waschen und in Streifen schneiden. Die Zwiebel schälen und hacken.

» Das Hackfleisch salzen und pfeffern. Daraus sechs Hacksteaks passend zur Brötchengröße formen.

» Das Öl in einer Pfanne erhitzen und die Steaks bei mittlerer Hitze 3–5 Minuten von jeder Seite braten.

» Die Brötchen in der Mitte durchschneiden. Die Unterhälften mit Mayonnaise und die Oberhälften mit Ketchup bestreichen. Die Hälfte des Salats auf den Unterhälften verteilen. Mit je einer Scheibe Cheddar, einem Steak und einer weiteren Scheibe Cheddar belegen. Den restlichen Salat und die Zwiebel darauf verteilen und die Brötchenoberhälften auflegen. Sofort servieren.

Servieren Sie zu diesen Burgern die hausgemachten Pommes Frites (siehe Rezept S. 21).

KLASSISCHER AMERIKANER

ZUBEREITUNGSZEIT: **30 Min.**
GARZEIT: **15 Min.**

ZUTATEN

Für 6 Burger

- 150 g Eisbergsalat
- 3 mittelgroße Tomaten
- 2 rote Zwiebeln
- 2 eingelegte Gurken (z. B. Cornichons Malossol)
- 800–900 g Rinderhackfleisch
- 1 EL Cajun-Gewürzmischung
- Salz und Pfeffer aus der Mühle
- 3 EL Pflanzenöl
- 6 Burgerbrötchen »Spezial« natur mit Sesam (siehe Rezept S. 13)
- 3 EL hausgemachte Mayonnaise (siehe Rezept S. 16)
- 3 EL Ketchup (siehe Rezept S. 16)
- 6 Scheiben Cheddarkäse

Den Salat waschen und in Streifen schneiden. Die Tomaten waschen und in Scheiben schneiden. Die Zwiebeln schälen und in 3–4 mm dicke Ringe schneiden. Die Gurken ebenfalls in Scheiben schneiden.

Das Hackfleisch mit der Gewürzmischung und einer Prise Salz vermischen. Daraus sechs Hacksteaks passend zur Brötchengröße formen.

Das Öl in einer Pfanne erhitzen und die Zwiebelringe bei mittlerer Hitze 4–5 Minuten glasig dünsten. Salzen und pfeffern. Die Zwiebeln aus der Pfanne heben und beiseitestellen.

Die Steaks in die Pfanne geben und 3–5 Minuten von jeder Seite braten.

Die Brötchen in der Mitte durchschneiden. Die Unterhälften mit Mayonnaise und die Oberhälften mit Ketchup bestreichen. Den Salat auf den Unterhälften verteilen. Die Zwiebelringe zufügen. Mit je einem Steak, einer Scheibe Cheddarkäse, den Tomaten- und Gurkenscheiben belegen. Die Brötchenoberhälften auflegen und sofort servieren.

BURGER IN BLAU

ZUBEREITUNGSZEIT: **30 Min.**
GARZEIT: **10 Min.**

ZUTATEN

Für 6 Burger

- 150 g Salatherzen vom Romanasalat
- 4 mittelgroße Tomaten
- 300 g Blauschimmelkäse (z. B. Fourme d'Ambert)
- 3 gehäufter EL hausgemachte Mayonnaise (siehe Rezept S. 16)
- 1 gehäufter EL scharfer Senf
- 1 EL Sojasauce
- 6 traditionelle Brötchen mit Nüssen (siehe Rezept S. 12)
- 900 g–1 kg Rinderhackfleisch (z. B. vom Charolais-Rind)
- Salz und Pfeffer aus der Mühle
- 3 EL Pflanzenöl

Die Salatherzen vom Romanasalat sind fester, dicker und saftiger als die vom Kopfsalat und für Burger bestens geeignet. Im Handel sind sie auch unter der Bezeichnung »Little Gem« oder »Sucrine« bekannt.

› Den Backofengrill vorheizen.

› Den Salat waschen und in Streifen schneiden. Die Tomaten waschen und in Scheiben schneiden.

› Den Käse in sechs dünne Scheiben schneiden.

› In einer Schüssel Mayonnaise, Senf und Sojasauce verrühren.

› Die Brötchen in der Mitte durschneiden und unter dem Backofengrill vorsichtig toasten. Die Brötchen aus dem Ofen nehmen, den Backofengrill anlassen.

› Aus dem Hackfleisch sechs Hacksteaks passend zur Brötchengröße formen. Salzen und pfeffern. Das Öl in einer Pfanne erhitzen und die Burger bei mittlerer Hitze 3–5 Minuten von jeder Seite braten.

› Die Steaks auf ein mit Backpapier belegtes Backblech legen und mit je einer Scheibe Käse belegen. Auf unterster Schiene im Ofen überbacken, dabei die Ofentür offen lassen.

› Alle Brötchenhälften mit der Senfsauce bestreichen. Die Unterhälften mit Salat und Tomaten belegen.

› Die Steaks aus dem Ofen nehmen und auf die Tomaten legen. Die Brötchenoberhälften auflegen und sofort servieren.

Triple-Burger mit Comté

ZUBEREITUNGSZEIT: **40 Min.**
GARZEIT: **15 Min.**

ZUTATEN

Für 6 Burger

- 150 g Eisbergsalat oder Salatherzen vom Romanasalat
- 3 große Tomaten
- 3 Gewürzgurken (z. B. Cornichons Malossol)
- 200 g Comté (französischer Hartkäse)
- 1,2 kg Rinderhackfleisch
- Salz und Pfeffer aus der Mühle
- 3 EL Sonnenblumenöl
- 12 Scheiben geräucherter Speck
- 6 EL hausgemachte Mayonnaise (siehe Rezept S. 16)
- einige Tropfen Tabasco
- 1 EL frische Kräuter, gehackt
- 6 Burgerbrötchen »Spezial« natur mit Sesam (siehe Rezept S. 13)
- 3 EL Ketchup (siehe Rezept S. 16)

› Den Backofengrill vorheizen.

› Den Salat waschen und in Streifen schneiden. Die Tomaten waschen und in Scheiben schneiden. Die Gurken ebenfalls in Scheiben schneiden. Den Käse in 18 dünne Scheiben schneiden.

› Das Hackfleisch salzen und pfeffern. Daraus 18 Hacksteaks passend zur Brötchengröße formen.

› Das Öl in einer Pfanne erhitzen, die Steaks bei mittlerer Hitze 2–3 Minuten von jeder Seite braten und warm stellen.

› Die Speckscheiben auf ein mit Backpapier belegtes Backblech legen und 3–4 Minuten unter den Backofengrill schieben. Den Backofengrill ausschalten und den Speck bei offener Ofentür warm halten.

› In einer Schüssel die Hälfte der Mayonnaise, Tabasco und Kräuter verrühren.

› Die Brötchen in der Mitte durchschneiden. Die Unterhälften mit Ketchup und die Oberhälften mit Mayonnaise bestreichen.

› Die Hälfte des Salats auf den Unterhälften verteilen. Mit je einem Steak, einer Tomatenscheibe und einer Scheibe Käse belegen. Nun ein weiteres Steak, eine Scheibe Käse und zwei Scheiben gegrillten Speck auflegen. Zum Schluss noch mit einem Steak, einer Scheibe Käse und dem restlichen Salat belegen. Die Brötchenoberhälften auflegen und servieren.

Für die Feinschmecker: Bestreichen Sie jeden Burger zusätzlich mit ein wenig Mayonnaise und Ketchup!

ZUBEREITUNGSZEIT: **40 Min.**
GARZEIT: **20 Min.**

TEX-MEX-BURGER

ZUTATEN

Für 6 Burger

- 2 Zwiebeln
- 2 rote Paprika
- 1 gelbe Paprika
- 2 Knoblauchzehen
- 3 EL Olivenöl
- 1 EL Paprikapulver
- Salz und Pfeffer aus der Mühle
- 800–900 g Rinderhackfleisch
- 3 EL Pflanzenöl
- 6 Burgerbrötchen »Spezial« mit Paprika oder natur (siehe Rezept S. 13)
- 3 EL Chilisauce (siehe Rezept S. 17)
- 6 Scheiben Cheddarkäse

› Die Zwiebeln schälen und in Ringe schneiden. Die Paprika enthäuten und in feine Streifen schneiden. Den Knoblauch schälen und hacken.

› Das Olivenöl in einer Pfanne erhitzen und Paprika, Zwiebeln und Knoblauch bei mittlerer Hitze 10 Minuten dünsten, dabei regelmäßig rühren. Die Hälfte des Paprikapulvers zufügen und salzen. Die Pfanne mit Alufolie abdecken und warm stellen.

› Den Backofengrill vorheizen.

› Das Hackfleisch mit dem restlichen Paprikapulver, Salz und Pfeffer vermengen. Daraus sechs Hacksteaks passend zur Brötchengröße formen.

› Das Pflanzenöl in einer Pfanne erhitzen und die Steaks bei mittlerer Hitze 3–5 Minuten von jeder Seite braten.

› Die Brötchen in der Mitte durchschneiden und vorsichtig unter dem Backofengrill toasten.

› Beide Brötchenhälften mit der Chilisauce bestreichen. Die Hälfte der Zwiebel-Paprika-Knoblauch-Mischung auf die Brötchenunterhälften verteilen. Je ein Steak und eine Scheibe Käse auflegen. Dann das restliche Gemüse darüber verteilen. Die Brötchenoberhälften auflegen und sofort servieren.

Schinken-Burger

ZUBEREITUNGSZEIT: **30 Min.**
GARZEIT: **15 Min.**

ZUTATEN

Für 6 Burger

- 150 g Eisbergsalat oder Salatherzen vom Romanasalat
- 2 Fleischtomaten
- 150 g Schafskäse (z. B. Ossau-Iraty)
- 800–900 g Rinderhackfleisch
- 2 EL rote Chilischoten, gehackt
- Salz
- 3 EL Pflanzenöl
- 6 Scheiben gekochter Schinken (z. B. Bayonne-Schinken)
- 6 Burgerbrötchen »Spezial« mit Curry, Chili oder natur (siehe Rezept S. 13)
- 3 EL hausgemachte Mayonnaise (siehe Rezept S. 16)

› Den Salat waschen und in Streifen schneiden. Die Tomaten waschen und in Scheiben schneiden. Den Käse in dünne Scheiben schneiden.

› Den Backofengrill vorheizen.

› Das Hackfleisch mit 1 Esslöffel Chilischoten und einer Prise Salz würzen. Sechs Hacksteaks passend zur Brötchengröße formen.

› Das Öl in einer Pfanne erhitzen und die Steaks bei mittlerer Hitze 3–5 Minuten von jeder Seite braten.

› Den Schinken auf ein mit Backpapier belegtes Backblech legen und 3–4 Minuten unter dem Backofengrill leicht bräunen. Das Blech aus dem Ofen nehmen und den Backofengrill anlassen.

› Die Brötchen in der Mitte durchschneiden und unter dem Backofengrill vorsichtig toasten.

› In einer Schüssel Mayonnaise und restliche Chilischoten verrühren.

› Beide Brötchenhälften mit der Chili-Mayonnaise bestreichen. Die Brötchenunterhälften mit Salat und Tomaten belegen. Je ein Steak, eine Scheibe Schinken und eine Scheibe Käse auflegen. Mit den Brötchenoberhälften bedecken und sofort servieren.

BURGER CONTINENTAL

ZUBEREITUNGSZEIT: **30 Min.**
GARZEIT: **15 Min.**

ZUTATEN

Für 6 Burger

- 150 g Eisbergsalat oder Salatherzen vom Romanasalat
- 12 Scheiben Bacon oder durchwachsener Speck
- 6 Körnerbrötchen (von Ihrem Bäcker)
- 900 g–1 kg Rinderhackfleisch
- Salz und Pfeffer aus der Mühle
- 3 EL Pflanzenöl
- 25 g Butter
- 6 Eier
- 3 EL hausgemachte Mayonnaise (siehe Rezept S. 16)
- 3 EL Ketchup (siehe Rezept S. 16)
- 6 Scheiben Cheddarkäse

› Den Backofengrill vorheizen. Den Salat waschen und in Streifen schneiden.

› Bacon oder Speck auf ein mit Backpapier belegtes Backblech legen und 3 Minuten unter dem Backofengrill bräunen. Den Speck aus dem Ofen nehmen und den Backofengrill anlassen.

› Die Brötchen in der Mitte durchschneiden und unter dem Backofengrill vorsichtig toasten.

› Aus dem Hackfleisch sechs Hacksteaks passend zur Brötchengröße formen. Salzen und pfeffern. Das Öl in einer Pfanne erhitzen und die Steaks bei mittlerer Hitze 3–5 Minuten von jeder Seite braten.

› In der Zwischenzeit in einer anderen Pfanne die Butter zerlassen und sechs Spiegeleier braten. Salzen und pfeffern.

› Die Brötchenunterhälften mit Mayonnaise und die Oberhälften mit Ketchup bestreichen. Den Salat auf den Unterhälften verteilen. Je ein Steak, eine Scheibe Cheddar, ein Spiegelei und zwei Scheiben Bacon darauf legen. Mit den Brötchenoberhälften bedecken und sofort servieren.

Mini-Burger

ZUBEREITUNGSZEIT: **30 Min.**
GARZEIT: **10 Min.**

ZUTATEN

Für 12 Mini-Burger

- 500 g Rinderhackfleisch
- Salz und Pfeffer aus der Mühle
- 150 g alter Goudakäse
- 120 g Salatherzen vom Romanasalat
- 3 EL Pflanzenöl
- 12 kleine traditionelle Burgerbrötchen à 50 g natur mit Sesam oder Mohn (siehe Rezept S. 12)
- 3 EL Ketchup (siehe Rezept S. 16)
- 3 EL hausgemachte Mayonnaise (siehe Rezept S. 16)

› Das Hackfleisch salzen und pfeffern und daraus 12 Mini-Steaks passend zur Brötchengröße formen.

› Den Gouda mit dem Sparschäler in hauchdünne Scheiben schneiden.

› Den Salat waschen und in Streifen schneiden.

› Den Backofengrill vorheizen.

› Das Öl in einer Pfanne erhitzen und die Hacksteaks bei mittlerer Hitze 5–7 Minuten von jeder Seite braten. Warm stellen.

› Die Brötchen in der Mitte durchschneiden und unter dem Backofengrill vorsichtig toasten.

› Die Brötchenunterhälften mit Ketchup und die Oberhälften mit Mayonnaise bestreichen. Den Salat auf den Unterhälften verteilen. Mit je einem Steak und einigen Scheiben Gouda belegen. Die Brötchenoberhälften auflegen und sofort servieren.

ORIENT-BURGER

ZUBEREITUNGSZEIT: **40 Min.**
GARZEIT: **20 Min.**

ZUTATEN

Für 6 Burger

- 2 rote Paprika
- 1 Aubergine
- 100 ml Olivenöl
- 1 kleine rote Zwiebel
- 800–900 g Rinderhackfleisch
- 1 EL Kreuzkümmelsamen
- 1 TL gemahlener Kreuzkümmel
- Salz und Pfeffer aus der Mühle
- 3 EL Pflanzenöl
- 1 Bund glatte Petersilie
- 1 Bund Koriander
- 3 EL hausgemachte Mayonnaise (siehe Rezept S. 16)
- 1 EL Harissa
- 6 Burgerbrötchen »Spezial« mit Paprika oder natur (siehe Rezept S. 13)
- 6 Scheiben Cheddarkäse

» Die Paprika enthäuten und in Streifen schneiden. Die Aubergine waschen und in 4–5 mm dicke Scheiben schneiden.

» Etwas Olivenöl in einer Pfanne erhitzen und die Auberginenscheiben bei mittlerer Hitze 4–5 Minuten rundum bräunen. Auf Küchenpapier abtropfen lassen und zum Warmhalten mit Alufolie abdecken.

» Das restliche Olivenöl erhitzen und die Paprikastreifen bei mittlerer Hitze 6–8 Minuten dünsten. Mit den Auberginen warm stellen.

» Den Backofengrill vorheizen.

» Die Zwiebel schälen und hacken.

» Das Hackfleisch mit der Zwiebel vermengen und mit Kreuzkümmel, Kümmelpulver, Salz und Pfeffer würzen. Daraus sechs Hacksteaks passend zur Brötchengröße formen.

» Das Pflanzenöl in einer Pfanne erhitzen und die Steaks bei mittlerer Hitze 3–5 Minuten von jeder Seite braten.

» In der Zwischenzeit die Kräuter waschen und zupfen. Mayonnaise und Harissa in einer Schüssel verrühren.

» Die Brötchen in der Mitte durchschneiden und unter dem Backofengrill vorsichtig toasten.

» Alle Brötchenhälften mit der Harissa-Mayonnaise bestreichen. Die Auberginen auf die Brötchenunterhälften legen, die Steaks auflegen, mit Paprika, je einer Scheibe Cheddar und der Kräutermischung bedecken. Die oberen Brötchenhälften auflegen und sofort servieren.

ZUBEREITUNGSZEIT: **40 Min.**
GARZEIT: **20 Min.**

THAI-BURGER

ZUTATEN

Für 6 Burger

- 120 g Salatherzen vom Romanasalat
- 300 g Shiitake-Pilze
- 5 EL Pflanzenöl
- 1 EL Honig
- Salz und Pfeffer aus der Mühle
- 800 g Rinderhackfleisch
- 1 EL frischer Ingwer, gehackt
- 2 EL Austernsauce
- 150 ml gesüßte Sojasauce
- 3 EL hausgemachte Mayonnaise (siehe Rezept S. 16)
- 1 TL Wasabipaste
- 6 traditionelle Burgerbrötchen mit Sesam (siehe Rezept S. 12)
- 6 Scheiben Cheddarkäse oder Scheibletten

› Den Salat waschen und in Streifen schneiden.

› Die Pilze waschen und in Scheiben schneiden. Die Hälfte des Öls in einer Pfanne erhitzen und die Pilze bei mittlerer Hitze 3 Minuten dünsten. Den Honig zufügen, salzen und pfeffern. Unter Rühren leicht karamellisieren lassen, vom Herd nehmen und warm stellen.

› Das Hackfleisch mit Ingwer, Austernsauce, Pfeffer und ein wenig Salz vermengen und daraus sechs Hacksteaks passend zur Brötchengröße formen.

› Den Backofengrill vorheizen.

› Das restliche Öl in einer Pfanne erhitzen und die Steaks bei mittlerer Hitze von jeder Seite 2–3 Minuten braten. Das Fett aus der Pfanne gießen und die Steaks mit der Sojasauce beträufeln. Die Hitze reduzieren und die Steaks weitere 4 Minuten von jeder Seite braten, dabei immer wieder mit der Sojasauce überziehen. Warm stellen.

› In einer Schüssel Mayonnaise und Wasabi verrühren.

› Die Brötchen in der Mitte durchschneiden und unter dem Backofengrill vorsichtig toasten.

› Alle Brötchenhälften mit der Wasabi-Mayonnaise bestreichen. Den Salat auf den Brötchenunterhälften verteilen. Je ein Steak und eine Scheibe Käse auflegen und mit den warmen Pilzen bedecken. Die Brötchenoberhälften aufsetzen und sofort servieren.

ZUBEREITUNGSZEIT: **30 Min.**
GARZEIT: **10 Min.**

Carpaccio-Burger mit gegrilltem Gemüse

ZUTATEN

Für 6 Burger

- 2 Zucchini
- 1 große Aubergine
- 100 ml Olivenöl
- Salz und Pfeffer aus der Mühle
- 500–600 g Rindfleisch für Carpaccio, in hauchdünne Scheiben geschnitten
- Saft von 1 Zitrone
- 4 EL hausgemachte Mayonnaise (siehe Rezept S. 16)
- 2 EL Senf
- 100 g Parmesan am Stück
- 6 Burgerbrötchen »Spezial« mit Kümmel oder Kreuzkümmel (siehe Rezept S. 13)
- 120 g Rucola

» Zucchini und Aubergine waschen und in 2–3 mm dicke Scheiben schneiden. In einer Schüssel mit der Hälfte des Olivenöls vermischen, salzen und pfeffern.

» Zucchini- und Auberginenscheiben unter dem Backofengrill oder in einer Pfanne 5 Minuten von jeder Seite bräunen, bis sie leicht knusprig sind.

» Die Carpaccio-Scheiben auf einem großen Teller auslegen.

» Das restliche Olivenöl und den Zitronensaft in einer Schüssel verrühren, salzen und pfeffern. Das Fleisch mit dieser Marinade bestreichen und den Teller 10 Minuten in den Kühlschrank stellen.

» Mayonnaise und Senf in einer Schüssel verrühren.

» Den Parmesan mit dem Sparschäler fein hobeln.

» Die Brötchen in der Mitte durchschneiden. Die Unterhälften mit der Senf-Mayonnaise bestreichen. Gegrilltes Gemüse, Carpaccio-Scheiben und Rucola abwechselnd aufschichten. Den Parmesan darüber streuen. Die Brötchenoberhälften auflegen und sofort servieren.

ZUBEREITUNGSZEIT: **30 Min.**
+ 30 Min. Kühlzeit
GARZEIT: **15 Min.**

ALPEN-BURGER

ZUTATEN

Für 6 Burger

- 180 g Raclettekäse
- 100 ml süße Sahne
- 2 Gewürzgurken (z. B. Cornichons Malossol)
- 150 g Bataviasalat
- 800–900 g Rinderhackfleisch
- Salz und Pfeffer aus der Mühle
- 3 EL Pflanzenöl
- 6 traditionelle Burgerbrötchen mit Gruyère oder Speck (siehe Rezept S. 12)

› Die Schale vom Raclettekäse abschneiden. Die süße Sahne in einer Kasserolle zum Kochen bringen. 30–40 g des Käses zufügen und bei geringer Hitze 4–5 Minuten unter Rühren kochen lassen, bis der Käse geschmolzen ist. Die Sauce in eine Schüssel gießen und ca. 30 Minuten in den Kühlschrank stellen, bis sie ein wenig fest geworden ist.

› Den restlichen Käse in sechs Scheiben schneiden. Die Gurken ebenfalls in Scheiben schneiden. Den Salat waschen und in Streifen schneiden.

› Den Backofengrill vorheizen.

› Das Fleisch salzen und pfeffern. Daraus sechs Hacksteaks passend zur Brötchengröße formen.

› Das Öl in einer Pfanne erhitzen und die Steaks bei mittlerer Hitze 3–5 Minuten von jeder Seite braten. Die Pfanne vom Herd nehmen und zum Warmhalten mit Alufolie abdecken.

› Die Brötchen in der Mitte durchschneiden und vorsichtig unter dem Backofengrill toasten.

› Alle Brötchenhälften mit der Käsecreme bestreichen. Salat und Gurkenscheiben auf den Unterhälften verteilen. Mit je einem Steak und einer Scheibe Käse belegen. Die Brötchenoberhälften auflegen und sofort servieren.

BURGER

HUHN, SCHWEIN & CO!

KNUSPERHUHN-BURGER

ZUBEREITUNGSZEIT: **45 Min.**
GARZEIT: **10 Min.**

ZUTATEN

Für 6 Burger

- 2 Eier
- 120 g Cornflakes
- 60 g Mehl
- 6 Hühnerbrüste, je ca. 120 g
- Frittieröl
- 120 g Bataviasalat oder Salatherzen vom Romanasalat
- 3 mittelgroße Tomaten
- 150 g Goudakäse mit Kümmel oder Kreuzkümmel
- 6 traditionelle Burgerbrötchen mit Oliven oder Körnern (siehe Rezept S. 12)
- 6 EL Chilisauce (siehe Rezept S. 17)
- Salz und Pfeffer aus der Mühle

» Die Eier in einem Suppenteller verquirlen. Die Cornflakes zerreiben und ebenfalls in einen Suppenteller geben. Das Mehl in einen dritten Teller geben.

» Die Hühnerbrüste leicht platt klopfen. Dann nacheinander im Mehl, in den verquirlten Eiern und schließlich in den zerriebenen Cornflakes wenden.

» Das Öl in einer Fritteuse erhitzen.

» Den Salat waschen und in Streifen schneiden. Die Tomaten waschen und in Scheiben schneiden. Den Käse in sechs dünne Scheiben schneiden.

» Die panierten Hühnerbrüste im sehr heißen Öl 4–5 Minuten frittieren. Auf Küchenpapier abtropfen lassen.

» Die Brötchen in der Mitte durchschneiden. Alle Hälften mit Chilisauce bestreichen. Die Hälfte des Salats und die Tomatenscheiben auf den unteren Hälften verteilen. Je eine frittierte Hühnerbrust und eine Scheibe Käse darauf legen. Mit dem restlichen Salat bedecken. Die Brötchenoberhälften aufsetzen und sofort servieren.

Servieren Sie zu diesen Burgern Cajun-Kartoffeln (siehe Rezept S. 21).

BURGER MIT ZIEGENKÄSE

ZUBEREITUNGSZEIT: **40 Min. + 30 Min. Kühlzeit**

GARZEIT: **15 Min.**

ZUTATEN

Für 6 Burger

- 1 EL Crème fraîche
- 7 kleine, runde Ziegenkäse, vorgewärmt (z. B. Cabécous)
- Salz und Pfeffer aus der Mühle
- 5 EL Olivenöl
- 1 TL Espelettepfeffer (auch als Gorria bekannt, kommt aus dem Baskenland)
- 2 Prisen Currypulver
- 6 Hühnerbrüste, je ca. 120 g
- 1 Rote Bete
- 2 Möhren
- 100 g Salatherzen vom Romanasalat
- 6 Burgerbrötchen »Spezial« mit Curry und/oder Sesam (siehe Rezept S. 13)

› In einer kleinen Kasserolle die Crème fraîche erhitzen. Einen Ziegenkäse zufügen und bei geringer Hitze 2 Minuten unter Rühren kochen lassen, bis der Käse geschmolzen ist. Salzen und pfeffern. Die Sauce in eine Schüssel gießen und ca. 30 Minuten in den Kühlschrank stellen, bis sie ein wenig fest geworden ist.

› 3 Esslöffel Olivenöl, Espelettepfeffer, Curry und eine Prise Salz in einem Suppenteller verrühren. Die Hühnerbrüste leicht platt klopfen und im Kräuteröl wenden.

› Den Backofengrill vorheizen.

› Rote Bete und Möhren schälen. Beides in kleine Streifen (Juliennes) schneiden. In einer Schüssel mit dem restlichen Öl vermischen, salzen und pfeffern.

› Den Salat waschen und in Streifen schneiden.

› Das restliche Öl in einer Pfanne erhitzen und die Hühnerbrüste bei mittlerer Hitze 6–7 Minuten von jeder Seite braten.

› Die Brötchen in der Mitte durchschneiden und vorsichtig unter dem Backofengrill toasten.

› Alle Brötchenhälften mit der Käsecreme bestreichen. Den Salat auf den Brötchenunterhälften verteilen. Mit je einer Hühnerbrust, einem warmen Ziegenkäse und den Gemüsestreifen belegen. Die Brötchenoberhälften auflegen und sofort servieren.

ZUBEREITUNGSZEIT: **30 Min.**
GARZEIT: **15 Min.**

Indien-Burger

ZUTATEN

Für 6 Burger

- 1 große Aubergine
- 100 g Salatherzen vom Romanasalat
- ½ Zwiebel
- 2 Knoblauchzehen
- 120 g Cheddarkäse
- 800–900 g Lammhackfleisch
- Salz und Pfeffer aus der Mühle
- 100 ml Olivenöl
- 1 EL Currypulver
- 4 EL hausgemachte Mayonnaise (siehe Rezept S. 16)
- 6 Burgerbrötchen »Spezial« mit Kürbiskernen oder Curry (siehe Rezept S. 13)

› Die Aubergine waschen und in 2 mm dicke Scheiben schneiden. Den Salat waschen und in Streifen schneiden. Zwiebel und Knoblauch schälen und hacken. Den Cheddar fein würfeln.

› Hackfleisch, Zwiebel und Knoblauch in einer Schüssel vermengen. Salzen und pfeffern. Sechs Hacksteaks passend zur Brötchengröße formen.

› Die Hälfte des Olivenöls in einer Pfanne erhitzen und die Auberginenscheiben 4–5 Minuten von jeder Seite bräunen. Salzen und pfeffern. Auf Küchenpapier abtropfen lassen.

› Das restliche Öl in der Pfanne erhitzen und die Steaks 6–7 Minuten von jeder Seite braten. Kurz vor Ende der Garzeit mit der Hälfte des Currypulvers bestreuen.

› Den Backofengrill vorheizen.

› Das restliche Currypulver mit der Mayonnaise verrühren.

› Die Brötchen in der Mitte durchschneiden und vorsichtig unter dem Backofengrill toasten.

› Alle Brötchenhälften mit der Curry-Mayonnaise bestreichen. Den Salat auf den Brötchenunterhälften verteilen und mit den Auberginenscheiben belegen. Je ein Steak und einige Cheddarwürfel auflegen. Mit den Brötchenoberhälften bedecken und sofort servieren.

CURRY-BURGER

ZUBEREITUNGSZEIT: **30 Min.**
KALT STELLEN: **2 Std.**
GARZEIT: **20 Min.**

ZUTATEN

Für 6 Burger

- 100 ml Olivenöl
- 2 EL rote Currypaste
- Salz
- 6 Hühnerbrüste, je ca. 120 g
- 2 rote Zwiebeln
- 50 g Cashewnüsse
- 6 Burgerbrötchen »Spezial« mit Sesam (siehe Rezept S. 13)
- 150 g Eisbergsalat oder Salatherzen vom Romanasalat
- 1 große Gewürzgurke (z. B. Cornichon Malossol)
- 3 EL hausgemachte Mayonnaise (siehe Rezept S. 16)
- 6 Scheiben Cheddarkäse

› Die Hälfte des Olivenöls und drei Viertel der Currypaste mit einer Prise Salz in einer Schüssel vermischen. Die Hühnerbrüste hineinlegen und rundum sorgfältig mit der Marinade bedecken. Mit Folie abdecken und 2 Stunden in den Kühlschrank stellen.

› Die Zwiebeln schälen und hacken. Das restliche Öl in einer Pfanne erhitzen und die Zwiebeln 4–5 Minuten bei mittlerer Hitze dünsten. Salzen. Aus der Pfanne heben und beiseitestellen.

› Die Hühnerbrüste mit der Marinade in die Pfanne geben und 10–15 Minuten bei mittlerer Hitze braten, dabei regelmäßig wenden. Die Cashewnüsse grob hacken und mit den Hühnerbrüsten vermengen.

› Den Backofengrill vorheizen.

› Die Brötchen in der Mitte durchschneiden und vorsichtig unter dem Backofengrill toasten.

› Den Salat waschen und in Streifen schneiden. Die Gurke in dünne Scheiben schneiden.

› Die restliche Currypaste mit der Mayonnaise verrühren.

› Alle Brötchenhälften mit der Curry-Mayonnaise bestreichen. Salat und Zwiebeln auf den Unterhälften verteilen. Mit je einer Hühnerbrust, einer Scheibe Cheddar und einigen Gurkenscheiben belegen. Die Brötchenoberhälften aufsetzen und sofort servieren.

ZUBEREITUNGSZEIT: **40 Min.**
GARZEIT: **20 Min.**

BURGER SÜSS-SAUER

ZUTATEN

Für 6 Burger

- 80 g gesalzene Erdnüsse
- 1 große rote Zwiebel
- 100 ml Olivenöl
- 2 EL Honig
- Salz und Pfeffer aus der Mühle
- 2 EL Weinessig
- 700–800 g Schweinehackfleisch oder Fleisch aus einer frischen Bratwurst (z. B. italienische Salsiccia)
- 120 g Salatherzen vom Romanasalat
- 150 g Goudakäse mit Kümmel
- 6 traditionelle Burgerbrötchen (siehe Rezept S. 12)
- 6 EL süß-saure Sauce

› Die Erdnüsse grob hacken. Die Zwiebel schälen und hacken.

› 3 Esslöffel Olivenöl in einer Pfanne erhitzen und die Zwiebel 5 Minuten glasig dünsten. Erdnüsse und Honig zufügen, salzen und pfeffern. Gut verrühren und 3 Minuten bei mittlerer Hitze leicht karamellisieren lassen. Den Essig zufügen und bei starker Hitze 2 Minuten reduzieren. Den Herd ausschalten und die Mischung erkalten lassen.

› Hackfleisch und Zwiebel-Nuss-Mischung vermengen. Salzen und pfeffern und daraus sechs Hacksteaks passend zur Brötchengröße formen.

› Das restliche Öl in einer Pfanne erhitzen und die Steaks bei mittlerer Hitze 8–10 Minuten von jeder Seite braten.

› Den Backofengrill vorheizen.

› Den Salat waschen und in Streifen schneiden. Den Käse in dünne Scheiben schneiden.

› Die Brötchen in der Mitte durchschneiden und vorsichtig unter dem Backofengrill toasten.

› Alle Brötchenhälften mit der süß-sauren Sauce bestreichen. Den Salat auf die Unterhälften verteilen. Je ein Steak und einige Scheiben Käse auflegen. Mit den oberen Brötchenhälften bedecken und sofort servieren.

FRÜHSTÜCKSBURGER

ZUBEREITUNGSZEIT: **40 Min.**
GARZEIT: **20 Min.**

ZUTATEN

Für 6 Burger

- 6 Eier
- Salz und Pfeffer aus der Mühle
- 3 EL Pflanzenöl
- 20 g Butter
- 6 Bratwürste
- 6 große Scheiben Bacon
- 120 g Salatherzen vom Romanasalat
- 6 traditionelle Burgerbrötchen (siehe Rezept S.12)
- 4 EL Ketchup (siehe Rezept S. 16)
- 6 EL hausgemachte Mayonnaise (siehe Rezept S. 16)
- 6 Scheiben Cheddarkäse

› Die Eier in einer Schüssel mit Salz und Pfeffer schlagen. Die Hälfte des Öls und die Butter in einer Pfanne erhitzen, und die Eier bei mittlerer Hitze 5–7 Minuten braten, dabei mit der Gabel rühren, bis sie leicht gebräunt sind. Warm halten.

› Das restliche Öl in einer anderen Pfanne erhitzen und die Würste 8–10 Minuten braten. Aus der Pfanne heben und ebenfalls warm halten.

› Den Backofengrill vorheizen.

› Das Fett aus der Pfanne gießen und die Baconscheiben 2 Minuten von jeder Seite in der Pfanne rösten.

› Den Salat waschen und in Streifen schneiden.

› Die Brötchen in der Mitte durchschneiden und vorsichtig unter dem Backofengrill toasten.

› Die Brötchenunterhälften mit Ketchup und die Oberhälften mit Mayonnaise bestreichen. Den Salat und das Rührei auf den unteren Hälften verteilen. Mit je einer Scheibe Speck, einer Bratwurst, in zwei Hälften geschnitten, und einer Scheibe Cheddar belegen. Mit den Brötchenoberhälften abdecken und sofort servieren.

Servieren Sie Rotkohlsalat mit Nüssen zu diesen Burgern (siehe Rezept S. 20).

BURGOS
cordero y
León), pimiento
de cabra, tomate,
gueres 8,80€
CATE
Burger de 200g
pepinillos,
asado, cogollos,
y cebolla 8,90€

CAESAR-BURGER

ZUBEREITUNGSZEIT: **30 Min.**
GARZEIT: **25 Min.**

ZUTATEN

Für 6 Burger

- 200 g Romanasalat
- 2 Knoblauchzehen
- 150 g Parmesan am Stück
- 2 ganze Eier + 1 Eigelb
- 150 ml Olivenöl
- 6 kleine Hühnerbrüste
- Salz und Pfeffer aus der Mühle
- 30 g Kapern
- 1 EL Worcestersauce
- 1 EL scharfer Senf
- Saft von ½ Zitrone
- 6 traditionelle Burgerbrötchen mit Mohn (siehe Rezept S. 12)

› Den Salat waschen und grob zupfen. Den Knoblauch schälen und hacken. Mit einem Sparschäler den Parmesan hobeln.

› Die zwei ganzen Eier in einem Topf mit kochendem Salzwasser 10 Minuten kochen. Abgießen, abschrecken und schälen.

› 3 Esslöffel Olivenöl in einer Pfanne erhitzen und die Hühnerbrüste bei mittlerer Hitze 6–7 Minuten von jeder Seite braten. Salzen und pfeffern. Die Hühnerbrüste längs in Scheiben schneiden.

› Den Backofengrill vorheizen.

› Für die Caesar-Sauce die hart gekochten Eier würfeln und in eine Rührschüssel geben. Eigelb, Kapern, Worcestersauce, Senf, Zitronensaft, Knoblauch und das restliche Öl zufügen. Salzen und pfeffern. Mit dem Schneebesen schlagen, bis die Masse leicht schaumig ist. Falls die Mischung zu fest wird, etwas kaltes Wasser unterrühren.

› Die Brötchen in der Mitte durchschneiden und vorsichtig unter dem Backofengrill toasten.

› Die Brötchenunterhälften mit der Caesar-Sauce bestreichen. Den Salat darauf verteilen und mit den Hühnerbrustscheiben bedecken. Mit der restlichen Sauce übergießen und mit den Parmesanhobeln bestreuen. Die Brötchenoberhälften auflegen und sofort servieren.

ZUBEREITUNGSZEIT: **30 Min.**
GARZEIT: **20 Min.**

Italien-Burger

ZUTATEN

Für 6 Burger

- 100 g Rucola
- 3 Eiertomaten
- 2 Knoblauchzehen
- 15 Basilikumblättchen
- 150 g Pecorino
- 4 EL hausgemachte Mayonnaise (siehe Rezept S. 16)
- 12 dünne Scheiben Pancetta
- 900 g Kalbsschulter, gehackt
- Salz und Pfeffer aus der Mühle
- 6 Ciabattabrötchen (von Ihrem Bäcker)
- 3 EL Olivenöl

› Den Salat waschen. Die Tomaten waschen und in Scheiben schneiden. Den Knoblauch schälen und hacken. Den Basilikum waschen und zupfen. Den Pecorino mit einem Sparschäler hobeln.

› Mayonnaise, Knoblauch und Basilikum in einer Schüssel verrühren.

› Den Backofengrill vorheizen.

› Den Speck in einer Pfanne ohne Zugabe von Fett bei mittlerer Hitze 2 Minuten rösten. Aus der Pfanne nehmen und beiseitestellen.

› Das Fleisch salzen und pfeffern. Sechs Hacksteaks passend zur Brötchengröße formen.

› Die Brötchen in der Mitte durchschneiden und vorsichtig unter dem Backofengrill toasten.

› Das Öl in einer Pfanne erhitzen und die Steaks 6–8 Minuten von jeder Seite braten. Warm halten.

› Alle Brötchenhälften mit der Basilikum-Mayonnaise bestreichen. Die Rucola auf die Brötchenunterhälften verteilen. Je ein Steak, einige Tomatenscheiben und zwei Scheiben Pancetta auflegen. Mit Pecorino bestreuen. Die Brötchenoberhälften aufsetzen und sofort servieren.

KEBAB-BURGER

ZUBEREITUNGSZEIT: **40 Min.**
GARZEIT: **25 Min.**

ZUTATEN

Für 6 Burger

- 6 Knoblauchzehen
- 100 ml süße Sahne
- Salz und Pfeffer aus der Mühle
- 900 g Kalbsfilet
- 3 EL Olivenöl
- 1 Schalotte
- einige Minzeblätter
- 1 Stängel Petersilie
- 1 EL hausgemachte Mayonnaise (siehe Rezept S. 16)
- 1 griechischer Joghurt
- 3 Prisen Paprikapulver
- 6 traditionelle Burgerbrötchen mit Oliven oder Kräutern (siehe Rezept S. 12)
- 150 g Eisbergsalat oder Salatherzen vom Romanasalat
- 3 Tomaten
- 6 Scheiben Cheddarkäse

› 5 Knoblauchzehen schälen. In eine Kasserolle geben und mit kaltem Wasser bedecken. Kurz aufkochen, abgießen und unter einem dünnen Wasserstrahl abschrecken. Diese Prozedur 4-mal wiederholen.

› Die süße Sahne in eine Kasserolle gießen. Die gekochten Knoblauchzehen, Salz und Pfeffer zufügen. 6–8 Minuten bei geringer Hitze köcheln. Im Mixer zu einer sämigen Knoblauchcreme verarbeiten und abkühlen lassen.

› Das Filet salzen und pfeffern. Das Öl in einer Pfanne erhitzen und das Fleisch auf beiden Seiten 3 Minuten anbraten. Dann bei mittlerer Hitze 10–12 Minuten unter regelmäßigem Wenden weiterbraten. In Alufolie wickeln und 15 Minuten ruhen lassen. Das Filet in feine Scheiben schneiden und warm halten.

› Den Backofengrill vorheizen.

› Die restliche Knoblauchzehe und die Schalotte schälen und hacken. Minze und Petersilie ebenfalls hacken. In einer Schüssel Mayonnaise, Joghurt, Knoblauch, Schalotte, Minze, Petersilie und Paprikapulver vermischen. Salzen und pfeffern.

› Die Brötchen in der Mitte durchschneiden und vorsichtig unter dem Backofengrill toasten.

› Den Salat waschen und in Streifen schneiden. Die Tomaten waschen und in Scheiben schneiden.

› Die Brötchenunterhälften mit der Knoblauchcreme bestreichen. Salat und Tomatenscheiben darauf verteilen. Mit den Filetscheiben und je einer Scheibe Cheddar bedecken. Die Paprika-Mayonnaise zufügen. Die Brötchenoberhälften auflegen und sofort servieren.

BURGER MIT ENTENCONFIT

ZUBEREITUNGSZEIT: **20 Min.**
GARZEIT: **40 Min.**

ZUTATEN

Für 6 Burger

- 4 eingemachte Entenkeulen im eigenen Fett
- 600 g Kartoffeln
- Salz und Pfeffer aus der Mühle
- 2 EL hausgemachte Mayonnaise (siehe Rezept S. 16)
- 1 EL süßer Senf
- 8 Paranüsse
- 100 g Salatherzen vom Romanasalat
- 6 traditionelle Burgerbrötchen natur (siehe Rezept S. 12)

› Den Backofen auf 160 °C vorheizen.

› Die Entenkeulen mit ein wenig Fett in einen Bräter geben und 20 Minuten im Ofen schmoren.

› Die Kartoffeln schälen, in dünne Scheiben schneiden, unter kaltem Wasser abwaschen und gründlich abtropfen lassen. 2 Esslöffel Entenfett in einer Pfanne erhitzen und die Kartoffeln 20 Minuten braten. Salzen und pfeffern.

› Mayonnaise und Senf verrühren.

› Die Entenkeulen aus dem Ofen nehmen und den Backofengrill vorheizen.

› Die Nüsse hacken. Die Haut von den Entenkeulen entfernen und das Fleisch zerkleinern. Mit den Nüssen vermengen. Die Mischung mit ein wenig Entenfett im Bräter warm halten.

› Den Salat waschen und in Streifen schneiden.

› Die Brötchen in der Mitte durchschneiden und vorsichtig unter dem Backofengrill toasten.

› Die Brötchenunterhälften mit der Senf-Mayonnaise bestreichen. Karfoffelscheiben, Entenfleisch und Salat auf den Brötchen verteilen. Mit den Brötchenoberhälften abdecken und sofort servieren.

EXTRA! EXTRA! EXTRA!
GOURMET

ZUBEREITUNGSZEIT: **40 Min.**
GARZEIT: **15 Min.**

ZUTATEN

Für 6 Burger

- 2 Entenbrüste
- Salz und Pfeffer aus der Mühle
- 1 großer Bund frische Kräuter (Kerbel, Estragon, Schnittlauch ...)
- 2 EL Essig
- 180 g Entenstopfleber
- 6 traditionelle Brötchen mit Körnern (siehe Rezept S. 12)
- 200 g eingelegte Zwiebeln oder Zwiebelkonfitüre
- 3 EL Barbecuesauce

GOURMET-BURGER

› Das Fett von den Entenbrüsten entfernen und die Haut mit der Messerspitze kreuzförmig einritzen. Salzen und pfeffern.

› Die Entenbrüste mit der Haut nach unten ohne weiteres Fett in eine gut erhitzte Pfanne legen. 6–8 Minuten braten, dann wenden und weitere 5 Minuten braten. Einzeln in Alufolie wickeln und 10 Minuten ruhen lassen.

› Den Backofengrill vorheizen.

› Die Kräuter grob zupfen und in einer Schüssel mit dem Essig verrühren.

› Die Entenstopfleber in sehr dünne Scheiben schneiden. Die Entenbrüste ebenfalls der Länge nach in Scheiben schneiden.

› Die Brötchen in der Mitte durchschneiden und vorsichtig unter dem Backofengrill toasten.

› Die eingelegten Zwiebeln auf den Brötchenunterhälften verteilen. Entenbrust und Entenstopfleber auflegen. Mit Kräutern bestreuen. Die Brötchenoberhälften mit Barbecuesauce bestreichen, auf die Burger legen und sofort servieren.

TANDOORI-BURGER

ZUBEREITUNGSZEIT: **30 Min.**
MARINADE: **24 Std.**
GARZEIT: **40–45 Min.**

ZUTATEN

Für 6 Burger

- 6 Hähnchenschnitzel, je ca. 120–140 g
- 2 rote Zwiebeln
- 3 EL Olivenöl
- 1 EL Honig
- 6 EL hausgemachte Mayonnaise (siehe Rezept S. 16)
- 1 TL Tandooripulver
- Saft von 1 Zitrone
- 2 Gewürzgurken (z. B. Cornichons Malossol)
- 120 g Salatherzen vom Romanasalat
- 6 traditionelle Burgerbrötchen mit Oliven (siehe Rezept S.12)
- 150 g Cheddarkäse, gerieben

Für die Marinade

- 1 Joghurt
- 1 EL Tandooripulver
- 1 Knoblauchzehe, gehackt
- Saft von 1 Zitrone
- Salz und Pfeffer aus der Mühle

› Die Marinade am Vortag zubereiten: In einer Schüssel Joghurt, Tandooripulver, Knoblauch und Zitronensaft verrühren. Salzen und pfeffern. Die Schnitzel in eine Schüssel legen. Die Marinade zufügen und die Schnitzel sorgfältig darin wenden. Mit Klarsichtfolie abdecken und eine Nacht im Kühlschrank marinieren.

› Am nächsten Tag den Backofen auf 160 °C vorheizen.

› Die Schnitzel aus der Marinade heben und auf ein mit Backpapier belegtes Backblech legen. 40–45 Minuten im Ofen braten.

› In der Zwischenzeit die Zwiebeln schälen und hacken. Das Olivenöl in einer Pfanne erhitzen und die Zwiebeln bei geringer Hitze 15–20 Minuten dünsten, bis sie Farbe angenommen haben und weich sind. Gegen Ende der Garzeit den Honig zufügen und vorsichtig karamellisieren lassen. Warm halten.

› Mayonnaise, Tandooripulver und Zitronensaft in einer Schüssel verrühren.

› Die Gurken in Scheiben schneiden. Den Salat waschen und in Streifen schneiden.

› Die Brötchen in der Mitte durchschneiden. Alle Brötchenhälften mit der Tandoori-Mayonnaise bestreichen. Salat und Zwiebelmus auf den Unterhälften verteilen. Die Schnitzel in Streifen schneiden und auflegen. Mit Käse und einigen Gurkenscheiben belegen. Mit den Brötchenoberhälften abdecken und sofort servieren.

PICCATA-BURGER

ZUBEREITUNGSZEIT: 30 Min.
GARZEIT: 12 Min.

ZUTATEN

Für 6 Burger

- 1 Aubergine
- 5 EL Olivenöl
- Salz und Pfeffer aus der Mühle
- 6 Burgerbrötchen »Spezial« mit eingelegten Tomaten oder natur (siehe Rezept S. 13)
- 3 EL hausgemachte Mayonnaise (siehe Rezept S. 16)
- Saft von 1 Zitrone
- 6 sehr dünne Kalbsschnitzel
- 120 g Pecorino
- 12 in Öl eingelegte Tomatenviertel
- 100 g junge Salatblätter

› Den Backofengrill vorheizen.

› Die Aubergine waschen und in dünne Scheiben schneiden. Die Hälfte des Olivenöls in einer Pfanne erhitzen und die Auberginenscheiben bei mittlerer Hitze 3–4 Minuten von jeder Seite braten. Salzen und pfeffern.

› Die Brötchen in der Mitte durchschneiden und vorsichtig unter dem Backofengrill toasten.

› Mayonnaise und die Hälfte des Zitronensafts in einer Schüssel verrühren. Salzen und pfeffern.

› Die Schnitzel in große Stücke schneiden. Salzen und pfeffern. Das restliche Öl in einer Pfanne erhitzen und die Schnitzel bei mittlerer Hitze 2 Minuten von jeder Seite braten. Vom Herd nehmen und mit dem restlichen Zitronensaft beträufeln. Die Pfanne mit Alufolie abdecken und warm halten.

› Den Pecorino grob hobeln. Die Tomaten abgießen und würfeln.

› Alle Brötchenhälften mit der Zitronen-Mayonnaise bestreichen. Die Salatblätter auf den Brötchenunterhälften verteilen. Abwechselnd mit Auberginenscheiben, Fleischstücken und Tomatenwürfeln belegen. Mit dem Pecorino bestreuen. Die Brötchenoberhälften aufsetzen und sofort servieren.

KÖFTE-BURGER

ZUBEREITUNGSZEIT: **30 Min.**
GARZEIT: **15 Min.**

ZUTATEN

Für 6 Burger

- 1 Zwiebel
- ½ Bund Koriander
- 800 g Lammhackfleisch
- 2 EL Kümmelsamen
- Salz und Pfeffer aus der Mühle
- 3 EL Olivenöl
- 2 Tomaten
- 150 g Salatherzen vom Romanasalat
- 180 g Cheddarkäse
- 6 Burgerbrötchen »Spezial« mit Curry oder natur (siehe Rezept S. 13)
- 6 EL weiße Kräutersauce (siehe Rezept p. 16).

Die Zwiebel schälen und hacken. Die Korianderblätter vom Stängel entfernen und hacken.

Das Hackfleisch in einer Schüssel mit Zwiebel, Koriander, Kümmelsamen, Salz und Pfeffer vermengen.

Mit den Händen aus dem Hackfleisch 18 kleine Mini-Hacksteaks formen. Das Olivenöl in einer Pfanne erhitzen und die kleinen Steaks bei mittlerer Hitze 3–4 Minuten von jeder Seite braten. Warm halten.

Den Backofengrill vorheizen.

Die Tomaten waschen und fein würfeln. Den Salat waschen und in Streifen schneiden. Den Cheddar in kleine, dünne Scheiben schneiden.

Die Brötchen in der Mitte durchschneiden und vorsichtig unter dem Backofengrill toasten.

Alle Brötchenhälften mit weißer Kräutersauce bestreichen. Salat und Tomatenwürfel auf den Unterhälften verteilen. Je 3 Mini-Steaks auf jede Unterhälfte legen und mit Cheddar bedecken. Die Brötchenoberhälften auflegen und sofort servieren.

Servieren Sie Rösties oder Zwiebelringe zu diesen Burgern (siehe Rezepte S. 20–21).

MEZCLA ESPECIAL
CHIP MIX
El SALMÓN ES
DEL MERCADO DE
CATERINA
sprouts 2.20€
onion 5.40€

BURGER »PULLED PORK«

ZUBEREITUNGSZEIT: **45 Min.**
GARZEIT: **4 Std. 30 Min.**
(für das Fleisch)

ZUTATEN

Für 6 Burger

- 2 Knoblauchzehen
- 1 Zwiebel
- 1 TL Paprikapulver
- 1 TL Kreuzkümmel
- 150 ml Ketchup (siehe Rezept S. 16)
- 5 EL Worcestersauce
- 3 EL Rotweinessig
- 40 g brauner Zucker
- Salz und Pfeffer aus der Mühle
- 3 EL Olivenöl
- 800 g Schweineschulter am Stück
- 5 EL hausgemachte Mayonnaise (siehe Rezept S. 16)
- 1 EL Senf
- 120 g Eisbergsalat oder Salatherzen vom Romanasalat
- 2 Gewürzgurken (z. B. Cornichons Malossol)
- 6 Burgerbrötchen »Spezial« natur (siehe Rezept S. 13)

› Den Backofen auf 140 °C vorheizen.

› Knoblauchzehen und Zwiebel schälen und hacken.

› Gewürze, Ketchup, Worcestersauce, Essig, Zucker, Salz und Pfeffer in einer Schüssel verrühren.

› Das Öl in einem Schmortopf erhitzen und das Fleisch 3 Minuten von jeder Seite anbraten. Zwiebel und Knoblauch zufügen und weitere 5 Minuten braten. Die angerührte Vinaigrette und 150 ml Wasser zugießen. Den Schmortopf in den Ofen schieben. Das Fleisch 4½ Stunden schmoren, dabei stündlich wenden (falls nötig etwas Wasser zugießen).

› Mayonnaise und Senf in einer Schüssel verrühren.

› Den Salat waschen und in Streifen schneiden. Die Gurken in Scheiben schneiden.

› Den Schmortopf aus dem Ofen nehmen und das Fleisch 20 Minuten ruhen lassen. Den Backofengrill vorheizen.

› Die Brötchen in der Mitte durchschneiden und vorsichtig unter dem Backofengrill toasten.

› Das Fleisch mit einer Gabel zerkleinern.

› Die Brötchenunterhälften mit der Senf-Mayonnaise bestreichen. Den Salat darauf verteilen. Mit Fleisch und Gurkenscheiben bedecken. Die Brötchenoberhälften auflegen und sofort servieren.

»Pulled Pork« ist eigentlich eine Zubereitungsmethode des typischen amerikanischen Barbecue. Bei niedriger Temperatur wird das Fleisch (meist in einem Smoker) bis zu 10 Stunden gegart. Danach ist es so zart, dass man es praktisch auseinanderzupfen (engl. to pull) kann.

ZUBEREITUNGSZEIT: **30 Min.**
GARZEIT: **20 Min.**

Schweinefleisch-Burger

ZUTATEN

Für 6 Burger

- 800–900 g Schweinehackfleisch
- Salz und Pfeffer aus der Mühle
- 100 g junge Salatblätter
- 1 reifer Camembert
- 3 EL hausgemachte Mayonnaise (siehe Rezept S. 16)
- 1 EL Senf
- 3 EL Olivenöl
- 12 Scheiben geräucherter Speck
- 6 traditionelle Brötchen mit Camembert oder natur (siehe Rezept S. 12)

› Das Fleisch salzen und pfeffern. Sechs Hacksteaks passend zur Brötchengröße formen.

› Den Backofengrill vorheizen.

› Den Salat waschen und große Blätter in Streifen schneiden. Den Camembert in zwölf 5–7 mm dicke Scheiben schneiden.

› Mayonnaise und Senf in einer Schüssel verrühren.

› Das Öl in einer Pfanne erhitzen und die Steaks bei mittlerer Hitze 6–8 Minuten von jeder Seite braten. Aus der Pfanne heben und warm stellen. Das Fett aus der Pfanne gießen und die Speckscheiben 1–2 Minuten von jeder Seite rösten.

› Die Brötchen in der Mitte durchschneiden und vorsichtig unter dem Backofengrill toasten.

› Alle Brötchenhälften mit der Senf-Mayonnaise bestreichen. Den Salat auf den Unterhälften verteilen, je ein Steak, zwei Scheiben Speck und Camembert darauf legen. Mit den Brötchenoberhälften bedecken und sofort servieren.

Servieren Sie Sellerieremoulade mit Grapefruit zu diesen Burgern (siehe Rezept S. 20).

BURGER ALLA MILANESE

ZUBEREITUNGSZEIT: **40 Min.**
GARZEIT: **6 Min.**

ZUTATEN

Für 6 Burger

- 2 Eier
- 100 g Paniermehl
- 60 g Mehl
- 6 dünne Kalbsschnitzel, je ca. 130 g
- Salz und Pfeffer aus der Mühle
- 20 Basilikumblättchen
- 4 EL hausgemachte Mayonnaise (siehe Rezept S. 16)
- 2 große Fleischtomaten
- 120 g Parmesan am Stück
- 100 g Rucola
- Frittieröl
- 6 Ciabattabrötchen (von Ihrem Bäcker)

› Die Eier in einem Suppenteller verquirlen. Paniermehl und Mehl auf zwei weitere Suppenteller verteilen.

› Die Kalbsschnitzel salzen und pfeffern. Nacheinander im Mehl, in den verquirlten Eiern und zum Schluss im Paniermehl wenden.

› Das Basilikum hacken und in einer Schüssel mit der Mayonnaise verrühren.

› Den Backofengrill vorheizen.

› Die Tomaten waschen und in Scheiben schneiden. Den Parmesan mithilfe eines Sparschälers hobeln. Die Rucola waschen.

› Das Frittieröl in einer großen Pfanne erhitzen und die Schnitzel bei mittlerer Hitze 2–3 Minuten von jeder Seite frittieren. Auf Küchenpapier abtropfen lassen. Die Schnitzel in Alufolie einwickeln, um sie warm zu halten.

› Die Brötchen in der Mitte durchschneiden und vorsichtig unter dem Backofengrill toasten.

› Alle Brötchenhälften mit der Basilikum-Mayonnaise bestreichen. Die Rucola auf den Unterhälften verteilen und mit den Tomatenscheiben bedecken. Mit je einem Schnitzel und einigen Käsehobeln belegen. Die Brötchenoberhälften auflegen und sofort servieren. (Schneiden Sie die Schnitzel in der Mitte durch, wenn sie zu groß sind.)

MERGUEZ-BURGER

ZUBEREITUNGSZEIT: **30 Min.**
GARZEIT: **30 Min.**

ZUTATEN

Für 6 Burger

- 2 große Zwiebeln
- 3 EL Pflanzenöl
- 20 g Butter
- 1 TL Kreuzkümmel
- 1 TL brauner Zucker
- Salz und Pfeffer aus der Mühle
- 8 EL Ketchup (siehe Rezept S. 16)
- 1 TL Harissa
- Tabasco
- 100 g Salatherzen vom Romanasalat
- ½ Bund Koriander
- 150 g Cheddarkäse
- 2 Tomaten
- 6 Merguez (nordafrikanische Bratwurst)
- 6 Burgerbrötchen »Spezial« mit eingelegten Tomaten oder natur (siehe Rezept S.13)

Die Zwiebeln schälen und hacken. Die Hälfte des Öls und Butter in einer Pfanne erhitzen. Die Zwiebeln darin bei geringer Hitze 20–25 Minuten unter regelmäßigem Rühren dünsten. In der Mitte der Kochzeit Kümmel, Zucker, Salz und Pfeffer zufügen.

In einer Schüssel die Hälfte des Ketchups mit Harissa und einigen Tropfen Tabasco verrühren.

Den Salat waschen und in Streifen schneiden, den Koriander hacken. Beides in einer Schüssel vermischen.

Den Cheddar in sechs dünne Scheiben schneiden. Die Tomaten waschen und in Scheiben schneiden.

Den Backofengrill vorheizen.

Das restliche Öl in einer Pfanne erhitzen und die Bratwürste 7–10 Minuten unter Wenden braten.

Die Brötchen in der Mitte durchschneiden und vorsichtig unter dem Backofengrill toasten.

Die Brötchenunterhälften mit dem Tabasco-Ketchup, die Oberhälften mit normalem Ketchup bestreichen. Die Salat-Koriander-Mischung auf den Unterhälften verteilen. Jeweils die Hälfte des Zwiebelmuses, eine in zwei Hälften geschnittene Bratwurst, eine Scheibe Käse und die Tomatenscheiben auflegen. Mit dem restlichen Zwiebelmus bedecken. Die Brötchenoberhälften aufsetzen und sofort servieren.

Kid's
Burger

ZUBEREITUNGSZEIT: **15 Min.**
GARZEIT: **5 Min.**

ZUTATEN

Für 6 Burger

- 6 Blätter Salat
- 30 g Butter, zerlassen
- 6 Scheiben gekochter Schinken
- 6 Milchbrötchen
- 12 Scheiben Scheibletten
- 4 EL Ketchup (siehe Rezept S. 16)

KIDS-BURGER

» Den Backofen auf 180 °C vorheizen.

» Den Salat waschen und in Streifen schneiden.

» Ein Backblech mit Backpapier belegen und mit Butter bepinseln.

» Jede Schinkenscheibe in 3 Rechtecke schneiden.
Auf das Backblech legen und ebenfalls mit Butter bepinseln.

» Die Brötchen in der Mitte durchschneiden und auf ein anderes Backblech legen.

» Beide Bleche für 5 Minuten in den Ofen schieben.
Aus dem Ofen nehmen.

» Alle Brötchenhälften mit Ketchup bestreichen. Die Hälfte des Salats auf den Unterhälften verteilen. Je drei Rechtecke Schinken, zwei Scheibletten und den restlichen Salat auflegen. Mit den Brötchenoberhälften bedecken und sofort servieren.

FISCH & GEMÜSE!

Fish & Chips-Burger

ZUBEREITUNGSZEIT: **40 Min.**
GARZEIT: **5 Min.**

ZUTATEN

Für 6 Burger

- 2 Eier
- 200 g Mehl
- 2 Prisen Backpulver
- 150–200 ml Bier
- Salz und Pfeffer aus der Mühle
- Frittieröl
- 120 g Salatherzen vom Romanasalat
- 6 Merlan- oder andere Fischfilets, je ca. 140 g
- 6 Burgerbrötchen »Spezial« eingefärbt mit Tintenfisch-Tinte oder natur (siehe Rezept S. 13)

Für die Sauce

- 1 EL Kapern
- ½ Zwiebel
- 6 kleine Gewürzgurken
- 120 g hausgemachte Mayonnaise (siehe Rezept S. 16)
- 1 EL Petersilie, gehackt

» Zubereitung der Sauce: Kapern und Zwiebel hacken. Die Gurken würfeln. In einer Schüssel Mayonnaise, Kapern, Gurken, Zwiebel und Petersilie verrühren. Salzen und pfeffern.

» Eigelb und Eiweiß trennen. Mehl, Backpulver, Eigelb und Bier in einer Schüssel verrühren, salzen und pfeffern. Das Eiweiß zu Schnee schlagen und vorsichtig unter den Teig heben.

» Das Frittieröl auf 170 °C aufheizen.

» Den Salat waschen und in Streifen schneiden.

» Die Fischfilets durchschneiden, sollten sie zu groß sein. Mithilfe einer Gabel vorsichtig im Teig wenden. Anschließend ins heiße Öl geben und 4–5 Minuten frittieren. Auf Küchenpapier abtropfen lassen.

» Die Brötchen in der Mitte durchschneiden. Alle Brötchenhälften mit der Sauce bestreichen. Den Salat auf den Unterhälften verteilen und mit den Fischfilets belegen. Die Brötchenoberhälften auflegen und sofort mit Pommes Frites servieren.

claims of
10.9%
calls

ZUBEREITUNGSZEIT: **30 Min.**
GARZEIT: **10 Min.**

THAI-BURGER MIT SHRIMPS

ZUTATEN

Für 6 Burger

- 2 rote Paprika
- 2 Möhren
- 200 g Chinakohl
- 1 Knoblauchzehe
- ½ Bund Koriander
- 4 EL hausgemachte Mayonnaise (siehe Rezept S. 16)
- 1 EL rote Currypaste
- 100 ml Olivenöl
- 48 mittelgroße Shrimps, geschält
- 1 EL Ingwerpaste aus dem Glas
- Salz und Pfeffer aus der Mühle
- 6 Burgerbrötchen »Spezial« mit Sesam (siehe Rezept S. 13)

» Die Paprika enthäuten und die Möhren schälen. Beides in feine Streifen (Juliennes) schneiden.

» Den Chinakohl waschen und in Streifen schneiden. Den Knoblauch schälen und hacken. Den Koriander waschen und grob hacken.

» Mayonnaise und die Hälfte der Currypaste in einer Schüssel verrühren.

» Das Öl in einer großen Pfanne erhitzen und den Knoblauch bei geringer Hitze 2 Minuten anbraten. Die Shrimps zufügen und 2 Minuten bei mittlerer Hitze braten. Die Gemüsestreifen zugeben und 3 Minuten mitdünsten. Die restliche Curry- und die Ingwerpaste unterrühren. Mit Salz und Pfeffer abschmecken und weitere 2 Minuten dünsten.

» Vom Herd nehmen. Koriander und Chinakohl zugeben und alles gut vermischen.

» Die Brötchen in der Mitte durchschneiden. Alle Brötchenhälften mit der Curry-Mayonnaise bestreichen. Die Gemüse-Shrimps-Mischung auf den Unterhälften verteilen. Mit den Brötchenoberhälften bedecken und sofort servieren.

Bangkok

LACHS-BURGER

ZUBEREITUNGSZEIT: **35 Min.**
GARZEIT: **5 Min.**

ZUTATEN

Für 6 Burger

- 700 g Lachsfilet
- 12 in Öl eingelegte getrocknete Tomatenviertel
- 6 Stängel Koriander
- 100 g Parmesan am Stück
- 500 ml Frittieröl
- 18 große Basilikumblättchen
- Salz und Pfeffer aus der Mühle
- 3 EL Olivenöl
- 6 Burgerbrötchen »Spezial« natur mit Mohn (siehe Rezept S. 13)
- 6 EL Sauce Béarnaise (siehe Rezept S. 17)

» Den Backofengrill vorheizen.

» Den Lachs in zwölf Scheiben schneiden.

» Die getrockneten Tomaten abgießen und würfeln. Den Koriander zupfen. Den Parmesan mithilfe eines Sparschälers hobeln.

» Das Frittieröl in einer Kasserolle erhitzen.

» Die Koriander- und Basilikumblätter 20–30 Sekunden ins heiße Öl tauchen. Auf Küchenpapier abtropfen lassen. Salzen.

» Das Olivenöl in einer Pfanne erhitzen und den Lachs 1 Minute von beiden Seiten braten. Salzen, pfeffern und warm halten.

» Die Brötchen in der Mitte durchschneiden und vorsichtig unter dem Backofengrill toasten.

» Die Brötchenunterhälften mit der Sauce Béarnaise bestreichen. Die Tomatenwürfel darauf verteilen und mit je zwei Scheiben Lachs belegen. Parmesan und frittierte Kräuter darüber streuen. Mit den Brötchenoberhälften abdecken und sofort servieren.

ZUBEREITUNGSZEIT: **40 Min.**
GARZEIT: **10 Min.**

THUNFISCH-BURGER

ZUTATEN

Für 6 Burger

- 50 g Kapern
- 5 EL hausgemachte Mayonnaise (siehe Rezept S. 16)
- 3 EL Zitronensaft
- Salz und Pfeffer aus der Mühle
- 600 g Thunfischfilet
- 3 EL Olivenöl
- 100 ml süße Sojasauce
- 1 gelbe Paprika
- 1 rote Paprika
- 120 g Eisberg- oder Romanasalat
- 6 Burgerbrötchen »Spezial« mit Tintenfisch-Tinte oder natur (siehe Rezept S. 13)

› Die Kapern grob hacken. Mit Mayonnaise und Zitronensaft in einer Schüssel verrühren. Salzen und pfeffern.

› Das Thunfischfilet salzen und pfeffern. Die Hälfte des Olivenöls in einer Pfanne erhitzen und den Thunfisch bei mittlerer Hitze 2 Minuten von jeder Seite braten: Er soll innen noch roh bleiben. Mit Sojasauce ablöschen. Den Herd ausschalten und den Fisch in der Sojasauce wenden und weitere 5 Minuten ziehen lassen. Leicht abkühlen lassen.

› Die Paprika enthäuten und in feine Streifen (Juliennes) schneiden. Das restliche Öl in der Pfanne erhitzen und das Gemüse 2 Minuten bei mittlerer Hitze dünsten.

› Den Salat waschen und in Streifen schneiden. Den Thunfisch in Scheiben schneiden.

› Die Brötchen in der Mitte durchschneiden. Alle Brötchenhälften mit der Kapern-Mayonnaise bestreichen. Den Salat auf den Unterhälften verteilen, mit Paprikastreifen und Thunfisch belegen. Die Brötchenoberhälften auflegen und sofort servieren.

Servieren Sie Krautsalat mit Rosinen zu diesen Burgern (siehe Rezept S. 21).

Sardinen-Burger

ZUBEREITUNGSZEIT: **30 Min.**
GARZEIT: **10 Min.**

ZUTATEN

Für 6 Burger

- 3 Eier
- 3 Tomaten
- 1 grüne Paprika
- 2 mittelgroße Zwiebeln
- 12 Sardinen in Öl
- 6 Burgerbrötchen »Spezial« mit eingelegten Tomaten oder natur (siehe Rezept S.13)
- 150 ml Olivenöl
- 1 Knoblauchzehe
- 6 EL schwarze Oliventapenade

› Die Eier 10 Minuten in kochendem Salzwasser hart kochen. Unter kaltem Wasser abschrecken, schälen und in Scheiben schneiden.

› Die Tomaten waschen und in Scheiben schneiden. Die Paprika enthäuten und in feine Streifen (Juliennes) schneiden. Die Zwiebeln schälen und in Ringe schneiden.

› Die Sardinen abgießen.

› Den Backofengrill vorheizen.

› Die Brötchen in der Mitte durchschneiden. Alle Brötchenhälften mit Olivenöl bepinseln und vorsichtig unter dem Backofengrill toasten.

› Die Knoblauchzehe der Länge nach halbieren und die Schnittflächen der Brötchen damit einreiben. Mit Oliventapenade bestreichen.

› Die Brötchenunterhälften mit Tomaten, Zwiebeln und Eiern belegen. Je zwei Sardinen und die Paprikastreifen auflegen. Mit den Brötchenoberhälften bedecken und sofort servieren.

ZUBEREITUNGSZEIT: **20 Min.**
GARZEIT: **5 Min.**

ZUTATEN

Für 6 Burger

- 80 g Parmesan am Stück
- 1 Bund Schnittlauch
- 4 kleine rote Endivien
- 2 EL Olivenöl
- 2 EL Apfelessig
- Salz und Pfeffer aus der Mühle
- 9 Eier
- 2 EL Crème fraîche
- 6 Burgerbrötchen »Spezial« natur oder mit Mohn (siehe Rezept S. 13)

BURGER MIT RÜHREI

› Mithilfe eines Sparschälers den Parmesan fein hobeln. Den Schnittlauch waschen und fein hacken.

› Die großen Blätter und das Herz der Endivien entfernen. Die restlichen Blätter in feine Streifen schneiden und mit Öl und Essig in einer Schüssel verrühren. Salzen und pfeffern.

› Die Eier in eine Kasserolle schlagen. Salzen und pfeffern. Die Kasserolle in ein Wasserbad mit kochendem Wasser stellen und die Eier 5 Minuten unter Rühren garen lassen. Crème fraîche und Schnittlauch unterrühren.

› Die Brötchen in der Mitte durchschneiden. Erst den Salat, dann die Eier auf den Brötchenunterhälften verteilen. Mit Parmesan bestreuen. Mit den Brötchenoberhälften abdecken und sofort servieren.

BURGER MOZZA-PAPRIKA

ZUBEREITUNGSZEIT: **30 Min.**
GARZEIT: **25 Min.**

ZUTATEN

Für 6 Burger

- 1 gelbe Paprika
- 1 rote Paprika
- 1 grüne Paprika
- 1 Zwiebel
- 3 EL Olivenöl
- 12 grüne Oliven, entkernt
- 50 g Pinienkerne
- 500 g geräucherter Mozzarella
- 6 EL Pesto
- 6 Ciabattabrötchen (von Ihrem Bäcker)
- 100 g Rucola
- Salz und Pfeffer aus der Mühle

› Die Paprika enthäuten und in feine Streifen (Juliennes) schneiden. Die Zwiebel schälen und hacken.

› Das Öl in einer großen Pfanne erhitzen und die Zwiebel 5 Minuten bei mittlerer Hitze dünsten. Die Paprikastreifen zufügen. Salzen, pfeffern und unter regelmäßigem Rühren 15 Minuten weich werden lassen.

› In der Zwischenzeit die Oliven hacken. Die Pinienkerne in einer beschichteten Pfanne ohne Zugabe von Fett 2–3 Minuten rösten.

› Sobald das Paprikagemüse gar ist, Oliven und Pinienkerne zufügen und gut verrühren.

› Den Backofengrill vorheizen.

› Den Mozzarella in sechs Scheiben schneiden, salzen und pfeffern.

› Die Brötchen in der Mitte durchschneiden und vorsichtig unter dem Backofengrill toasten.

› Alle Brötchenhälften mit Pesto bestreichen. Rucola auf den Brötchenunterhälften verteilen. Die warmen Paprikastreifen und den Mozzarella auflegen. Mit den Brötchenoberhälften bedecken und sofort servieren.

Sie können die Burger 3–4 Minuten in den warmen Ofen stellen, damit der Käse schmilzt.

¡CRUNCH!

VEGETARISCHER BURGER

ZUBEREITUNGSZEIT: **30 Min.**
GARZEIT: **10 Min.**

ZUTATEN

Für 6 Burger

- 50 g Walnüsse, geschält
- 80 g alter Goudakäse
- 2 Möhren
- 1 große Zucchini
- 1 Bund Schnittlauch
- 6 EL Quark
- Salz und Pfeffer aus der Mühle
- 100 g frische Sojasprossen
- 5 EL Olivenöl
- 6 Sojaburger
- 6 Burgerbrötchen »Spezial« mit Sesam (siehe Rezept S. 13)

Die Nüsse grob hacken. Den Käse raspeln.

Die Möhren schälen und in feine Streifen (Juliennes) schneiden. Die Zucchini waschen und ebenfalls in feine Streifen schneiden.

Den Schnittlauch hacken und in einer Schüssel mit dem Quark verrühren. Salzen und pfeffern.

In einer Kasserolle Salzwasser zum Kochen bringen und die Sojasprossen 2 Minuten garen. Abgießen und unter kaltem Wasser abschrecken.

Die Hälfte des Öls in einem Wok oder einer Pfanne erhitzen. Gemüsejuliennes und Sojasprossen 3–4 Minuten bei starker Hitze garen. Salzen und pfeffern.

Das restliche Öl in einer Pfanne erhitzen und die Sojaburger 2–3 Minuten von jeder Seite braten. Warm halten.

Die Brötchen in der Mitte durchschneiden. Die Unterhälften mit dem Schnittlauchquark bestreichen. Das Gemüse darauf verteilen und je einen Sojaburger auflegen. Mit dem geriebenen Käse bestreuen. Die Brötchenoberhälfte auflegen und sofort servieren.

Servieren Sie Rösties zu diesen Burgern (siehe Rezept S. 20).

HOTDOGS & BAGELS!

ZUBEREITUNGSZEIT: **15 Min.**
GARZEIT: **5 Min.**

ZUTATEN

Für 6 Hotdogs

- 6 Hotdogbrötchen
- 6 Frankfurter Würstchen
- 4 EL Ketchup (siehe Rezept S. 16)
- 4 EL süßer Senf

KLASSISCHER HOTDOG

Die Würstchen in einen großen Topf mit siedendem Wasser geben und 5 Minuten ziehen lassen. Abgießen.

Die Brötchen in der Mitte durchschneiden und auf einem Teller auslegen. Mit Backpapier abdecken und 30 Sekunden in die Mikrowelle (oder 2 Minuten in den Ofen) stellen.

Je ein Würstchen auf die Brötchenunterhälften legen. Senf und Ketchup darauf verteilen. Mit der Brötchenoberhälfte abdecken und sofort servieren.

Servieren Sie hausgemachte Pommes Frites zu diesen Hotdogs (siehe Rezept S. 21).

THE GLOBAL EDITION OF THE NEW YORK TIMES

Hotdog mit Chorizo

ZUBEREITUNGSZEIT: **30 Min.**
GARZEIT: **30 Min.**

ZUTATEN

Für 6 Hotdogs

- 3 mittelgroße Zwiebeln
- 25 g Butter
- 3 EL Olivenöl
- 300 g pikante Chorizowurst
- 150 g Manchegokäse (spanischer Schafskäse)
- 4 EL hausgemachte Mayonnaise (siehe Rezept S. 16)
- 1 EL Espelettepfeffer
- 6 Baguettebrötchen

› Die Zwiebeln schälen und hacken. Butter und Öl in einer Pfanne erhitzen und die Zwiebeln 20–25 Minuten bei mittlerer Hitze dünsten, bis sie weich sind und Farbe angenommen haben.

› Die Haut der Chorizo abziehen und das Fleisch in sehr feine Scheiben schneiden. Den Käse raspeln.

› Mayonnaise und Espelettepfeffer in einer Schüssel verrühren.

› Den Backofengrill vorheizen.

› Die Baguettebrötchen in der Mitte anschneiden, aber nicht ganz durchschneiden. Eine Seite mit Zwiebeln und Chorizoscheiben belegen und mit Käse bestreuen.

› Die Baguettes aufgeklappt auf ein Backblech legen. Einige Minuten unter dem Backofengrill gratinieren.

› Die Baguettes aus dem Ofen nehmen und die nicht belegte Hälfte mit der Pfeffer-Mayonnaise bestreichen.
Die Hotdogs zuklappen und sofort servieren.

HOTDOG MIT BRATWURST

ZUBEREITUNGSZEIT: **20 Min.**
GARZEIT: **30 Min.**

ZUTATEN

Für 6 Hotdogs

- 1 Eigelb
- 1 EL Senf
- 80–100 ml Pflanzenöl
- Salz und Pfeffer aus der Mühle
- 1 TL Honig
- 2 mittelgroße Zwiebeln
- 3 EL Olivenöl
- 1 TL Zucker
- 3 EL Xeres-Essig (spanischer Rotweinessig)
- 6 große, gut gewürzte Bratwürste
- 6 Hotdogbrötchen
- 120 g Rucola

› Eigelb und Senf in einer Schüssel verrühren und schaumig schlagen. Das Pflanzenöl in einem dünnen Strahl unter ständigem Schlagen zugießen, bis eine cremige Mayonnaise entstanden ist. Salzen und pfeffern. Honig und etwas kaltes Wasser zufügen, bis die Sauce leicht dickflüssig ist.

› Die Zwiebeln schälen und hacken. Die Hälfte des Olivenöls in einem Bräter erhitzen und die Zwiebeln bei kleiner Hitze 15–20 Minuten dünsten. Zucker und Essig zufügen, salzen und pfeffern. Gut verrühren und weitere 5 Minuten kochen. Warm halten.

› Das restliche Öl in einer Pfanne erhitzen und die Bratwürste 6–10 Minuten braten. In der Mitte durchschneiden.

› Die Hotdogbrötchen öffnen und 30 Sekunden in der Mikrowelle (oder 2 Minuten im Ofen) erwärmen.

› Die unteren Hälften mit Rucola belegen, dann je zwei halbe Bratwürste und die Zwiebeln darauf verteilen. Mit der Sauce übergießen, zuklappen und sofort servieren.

ZUBEREITUNGSZEIT: **20 Min.**
GARZEIT: **25 Min.**

HOTDOG MIT ANDOUILLE

ZUTATEN

Für 6 Hotdogs

- 2 Zwiebeln
- 30 g Butter
- ½ Apfel
- 1 EL Zucker
- 18 Scheiben Andouille, etwa 3 mm dick (französische Wurst aus Innereien)
- 6 Hotdogbrötchen
- 80 g Gruyère, gerieben
- Salz und Pfeffer aus der Mühle

› Die Zwiebeln schälen und hacken. Die Butter in einer Pfanne zerlassen und die Zwiebeln etwa 10 Minuten dünsten, bis sie etwas Farbe angenommen haben.

› Den halben Apfel schälen und fein würfeln. Mit dem Zucker zu den Zwiebeln geben, salzen und pfeffern. Das Ganze weitere 8–10 Minuten bei geringer Hitze köcheln lassen.

› Die Haut von der Wurst abziehen und jede Scheibe einmal durchschneiden.

› Den Backofengrill vorheizen.

› Die Hotdogbrötchen in der Mitte durchschneiden. Das Zwiebel-Apfel-Kompott auf den Unterhälften verteilen. Je sechs halbe Scheiben Andouille darauf legen und mit dem Gruyère bestreuen. Die so belegten Hälften einige Minuten unter dem Backofengrill gratinieren.

› Mit den Brötchenoberhälften bedecken und sofort servieren.

Sie können die Brötchenhälften auch mit süßem Senf bestreichen.

ZUBEREITUNGSZEIT: **30 Min.**
GARZEIT: **25 Min.**

HOTDOG MIT MERGUEZ UND ZWIEBELN

ZUTATEN

Für 6 Hotdogs

- 2 große Zwiebeln
- 4 EL Olivenöl
- 1 TL Kreuzkümmel
- Salz und Pfeffer aus der Mühle
- 6 Merguez-Würste (nordafrikanische Bratwurst)
- 4 EL hausgemachte Mayonnaise (siehe Rezept S. 16)
- 1 EL Harissa
- Saft von ½ Zitrone
- 6 Hotdogbrötchen
- 100 g Rucola

› Die Zwiebeln schälen und hacken.

› In einer Pfanne 3 Esslöffel Olivenöl erhitzen und Zwiebeln und Kreuzkümmel bei geringer Hitze 20 Minuten dünsten, bis sie weich sind und etwas Farbe angenommen haben. Salzen und pfeffern.

› In einer Pfanne das restliche Öl erhitzen und die Merguez-Würste bei mittlerer Hitze 5–7 Minuten braten. Dabei regelmäßig wenden. Vom Herd nehmen und warm halten.

› Die Mayonnaise mit Harissa und Zitronensaft in einer Schüssel verrühren.

› Die Hotdogbrötchen aufklappen. 30 Sekunden in der Mikrowelle (oder 2 Minuten im Ofen) erwärmen.

› Alle Brötchenhälften mit der Harissa-Mayonnaise bestreichen. Rucola und Zwiebeln auf den Unterhälften verteilen. Je eine Bratwurst darauf legen. Die Brötchenoberhälften zuklappen und sofort servieren.

ZUBEREITUNGSZEIT: **30 Min.**
GARZEIT: **30 Min.**

HOTDOG MIT HUHN UND ERDNÜSSEN

ZUTATEN

Für 6 Hotdogs

- 100 g Erdnüsse
- 2 große Zwiebeln
- 20 g Butter
- 3 EL Olivenöl
- Salz und Pfeffer aus der Mühle
- 1 EL Tabasco
- 18 Hähnchenflügel
- 2 EL Honig
- 150 g Eisberg- oder Romanasalat
- 6 Hotdogbrötchen
- 6 EL Chilisauce (siehe Rezept S. 17)

› Die Erdnüsse grob hacken. Die Zwiebeln schälen und hacken.

› Die Butter und die Hälfte des Öls in einer Pfanne erhitzen und die Zwiebeln bei mittlerer Hitze 15–20 Minuten weich werden lassen. Salzen und pfeffern.

› Den Tabasco unterrühren. Die Zwiebeln aus der Pfanne heben und beiseitestellen.

› Das restliche Öl in die Pfanne geben und die Hähnchenflügel 3–4 Minuten von jeder Seite braten. Salzen und pfeffern. Gehackte Erdnüsse und Honig unterrühren. 2 Minuten bei starker Hitze und unter ständigem Rühren karamellisieren lassen.

› Die Zwiebelmasse wieder in die Pfanne geben, unterrühren und warm halten.

› Den Salat waschen und in Streifen schneiden.

› Die Hotdogbrötchen aufklappen und 1 Minute in der Mikrowelle (oder 2 Minuten im Ofen) erwärmen.

› Beide Brötchenhälften mit Chilisauce bestreichen. Die Brötchen mit Salat belegen und je 3 Hähnchenflügel mit Zwiebeln und Erdnüssen zugeben. Zuklappen und sofort servieren.

BAGEL MIT EIERN UND SPECK

ZUBEREITUNGSZEIT: **30 Min.**
GARZEIT: **20 Min.**

ZUTATEN

Für 6 Bagels

- 6 Eier
- 1 EL Pflanzenöl
- 12 Scheiben Bacon
- 2 Stängel Estragon
- Salz und Pfeffer aus der Mühle
- 6 eingelegte Tomatenviertel
- 4 EL hausgemachte Mayonnaise (siehe Rezept S. 16)
- 120 g Salatherzen vom Romanasalat
- 6 Bagels

Die Eier in einem Topf mit kochendem Salzwasser 10 Minuten hart kochen. Mit kaltem Wasser abschrecken und schälen.

Das Öl in einer Pfanne erhitzen und den Bacon 5–6 Minuten bei starker Hitze rösten. Auf Küchenpapier abtropfen lassen.

Die Estragonblättchen vom Stängel zupfen und hacken. Eier, Tomatenviertel und Bacon ebenfalls fein hacken.

Estragon und Mayonnaise in einer Schüssel verrühren. Eier, Tomaten und Bacon zufügen und verrühren. Salzen und pfeffern.

Backofengrill oder Sandwichmaker vorheizen.

Den Salat waschen und in Streifen schneiden.

Die Bagels in der Mitte durchschneiden. Die Unterhälften mit Salat belegen und dick mit der Eier-Speck-Mischung bestreichen. Die Bageloberhälfte auflegen und leicht andrücken.

Die Bagels 4–5 Minuten unter dem Backofengrill oder im Sandwichmaker toasten. Sofort servieren.

HAZ TU PEDIDO
Y PAGA
te daremos
la bebida y un número
EN NADA, TE LLEVAREMOS
TU COMIDA A LA MESA
BUNS

ZUBEREITUNGSZEIT: **20 Min.**
GARZEIT: **5 Min.**

BAGEL MIT LACHS

ZUTATEN

Für 6 Bagels

- 2 Möhren
- 3 EL Olivenöl
- Salz und Pfeffer aus der Mühle
- ½ kleine Salatgurke
- 120 g Quark
- 1 TL Curry
- Saft von ½ Zitrone
- 1 TL Honig
- 500 g geräucherter Lachs am Stück (oder in Scheiben)
- 6 Bagels mit Sesam
- 100 g Salatsprossen (Rucola, Portulak …)

Die Möhren schälen und reiben. In einer Schüssel mit der Hälfte des Olivenöls vermengen. Salzen und pfeffern.

Die Salatgurke waschen und in dünne Scheiben schneiden. In einer Schüssel mit dem restlichen Olivenöl vermengen. Salzen und pfeffern.

In einer dritten Schüssel Quark, Curry, Zitronensaft und Honig verrühren und ebenfalls salzen und pfeffern.

Den Lachs in 2–3 Millimeter dicke Scheiben schneiden.

Backofengrill oder Sandwichmaker vorheizen.

Die Bagels in der Mitte durchschneiden. Die Unterhälften mit dem Curry-Quark bestreichen. Nacheinander Lachs, geriebene Möhren und Gurkenscheiben auflegen. Die Bageloberhälfte aufsetzen und leicht andrücken.

Die Bagels 4–5 Minuten unter dem Backofengrill oder im Sandwichmaker toasten. Sofort servieren.

ZUBEREITUNGSZEIT: 30 Min.
GARZEIT: 20 Min.

ZUTATEN

Für 6 Bagels

- 5 EL Olivenöl
- 600 g Putenbrust, in 2 cm dicke Scheiben geschnitten
- Salz und Pfeffer aus der Mühle
- 2 große Avocados
- 1 Knoblauchzehe, geschält
- Saft von ½ Zitrone
- 150 g alter Goudakäse
- 120 g Salatherzen vom Romanasalat
- 6 Bagels

Bagel mit Pute und Avocado

Die Hälfte des Öls in einer Pfanne erhitzen und die Putenbrustscheiben bei mittlerer Hitze 6–8 Minuten von jeder Seite braten. Salzen und pfeffern. Beiseitestellen und warm halten.

Die Avocados schälen und die Kerne entfernen. Das Fruchtfleisch grob würfeln und mit Knoblauch, Zitronensaft, Salz und Pfeffer zu einem cremigen Mus pürieren.

Den Käse mit einem Sparschäler grob hobeln.

Den Salat waschen und in dünne Streifen schneiden. In einer Schüssel mit dem restlichen Öl vermengen. Salzen und pfeffern.

Die Putenbrustscheiben in feine Streifen schneiden.

Backofengrill oder Sandwichmaker vorheizen.

Die Bagels in der Mitte durchschneiden. Den Avocadomus auf den Bagelunterhälften verstreichen. Mit Salat bedecken und Putenbruststreifen auflegen. Den Käse darüber streuen. Mit der Bageloberhälfte bedecken und diese leicht andrücken.

Die Bagels 5–7 Minuten unter dem Backofengrill oder im Sandwichmaker toasten. Sofort servieren.

ZUBEREITUNGSZEIT: **20 Min.**
GARZEIT: **5 Min.**

ZUTATEN

Für 6 Bagels

- 70 g Walnüsse, geschält
- 120 g Salatherzen vom Romanasalat
- 300 g halbtrockener Ziegenkäse
- 250 g geräucherte Entenbrust, in dünnen Scheiben
- Pfeffer aus der Mühle
- 3 EL Olivenöl
- 1 EL Honig
- 6 Bagels natur oder mit Sesam

BAGEL MIT ENTENBRUST

› Die Nüsse grob hacken.

› Den Salat waschen und in Streifen schneiden. Den Ziegenkäse in dünne Scheiben schneiden.

› Falls nötig das Fett von der Entenbrust entfernen.

› Backofengrill oder Sandwichmaker vorheizen.

› Die Bagels in der Mitte durchschneiden. Den Salat auf den Bagelunterhälften verteilen und mit der Hälfte des Öls beträufeln. Den Ziegenkäse auflegen. Mit dem Honig bestreichen und das restliche Olivenöl darüber träufeln. Pfeffern und mit den Nüssen bestreuen. Nun die Entenbrustscheiben auflegen. Die Bageloberhälften aufsetzen und leicht andrücken.

› Die Bagels 4–5 Minuten unter dem Backofengrill oder im Sandwichmaker toasten. Sofort servieren.

ZUBEREITUNGSZEIT: **30 Min.**
GARZEIT: **15 Min.**

BAGEL MIT THUNFISCH UND ANCHOVIS

ZUTATEN

Für 6 Bagels

- 2 Eier
- 2 große Tomaten
- 1 grüne Paprika
- 120 g Rucola, Eisbergsalat oder Salatherzen vom Romanasalat
- 16 schwarze Oliven, entkernt
- 12 Anchovisfilets in Öl
- 300 g Thunfisch in Olivenöl
- Salz und Pfeffer aus der Mühle
- 6 Bagels natur
- 10 ml Olivenöl

› Die Eier 10 Minuten in einem Topf mit kochendem Salzwasser hart kochen. Mit kaltem Wasser abschrecken und schälen.

› Die Tomaten 30 Sekunden in einem Topf mit kochendem Wasser blanchieren. Abgießen und mit kaltem Wasser abschrecken. Die Haut abziehen und das Fruchtfleisch fein würfeln.

› Die Paprika enthäuten und ebenfalls fein würfeln.

› Den Salat waschen und in Streifen schneiden.

› Oliven, Anchovisfilets und hart gekochte Eier fein hacken.

› Den Thunfisch zerbröseln und mit Anchovis, Eiern, Oliven, Paprika und Tomaten vermischen. Salzen und pfeffern.

› Backofengrill oder Sandwichmaker vorheizen.

› Die Bagels in der Mitte durchschneiden. Alle Hälften mit etwas Olivenöl bepinseln. Den Salat auf den Bagelunterhälften verteilen und mit der Thunfisch-Mischung belegen. Die Bageloberhälften auflegen und leicht andrücken.

› Die Bagels 4–5 Minuten unter dem Backofengrill oder im Sandwichmaker toasten. Sofort servieren.

IMPORTADO DE ESPAÑA
MARCA REGISTRADA

BAGEL MIT SARDINEN SÜSS-SAUER

ZUBEREITUNGSZEIT: **30 Min.**
GARZEIT: **15 Min.**

ZUTATEN

Für 6 Bagels

- ½ in Salz eingelegte Zitrone
- 1 Bund glatte Petersilie
- 1 große Zwiebel
- 12 große Sardinen in Öl
- 5 EL Olivenöl
- 70 g Pinienkerne
- 70 g Rosinen
- Salz und Pfeffer aus der Mühle
- 2 EL Honig
- 100 g Rucola
- 6 Bagels mit Sesam

› Die eingelegte Zitrone abgießen und gründlich waschen, um das Salz zu entfernen. Schälen und fein würfeln.

› Die Petersilie waschen und hacken. Die Zwiebel schälen und ebenfalls hacken. Die Sardinen abgießen und mit der Gabel leicht zerdrücken.

› In einer großen Pfanne das Öl erhitzen und die Zwiebel bei mäßiger Hitze 5 Minuten dünsten. Die Pinienkerne zufügen und 3 Minuten rösten. Zitronenwürfel, Rosinen und Sardinen unterrühren. Salzen, pfeffern und Honig zufügen. Gut verrühren und 3 Minuten kochen lassen. Vom Herd nehmen und die Petersilie unterrühren. Beiseitestellen.

› Backofengrill oder Sandwichmaker vorheizen.

› Rucola grob hacken.

› Die Bagels in der Mitte durchschneiden. Rucola auf den Bagelunterhälften verteilen. Mit der Sardinen-Mischung belegen. Die Bageloberhälften auflegen und leicht andrücken.

› Die Bagels 5–7 Minuten unter dem Backofengrill oder im Sandwichmaker toasten. Sofort servieren.

SÜSSES!

WHOOPIE-BURGER MIT SCHOKO

ZUBEREITUNGSZEIT: **45 Min. + 2 Std. Kühlzeit**

GARZEIT: **10–12 Min.**

ZUTATEN

Für 12 Whoopies

Für die Biskuits

- 120 g Zucker
- 120 g weiche Butter
- 3 Eier
- 230 g Mehl
- 1 TL Backpulver
- 2 EL Maronenpüree mit Orangen-Schokolade (z. B. Schweizer Vermicelles)
- 2 EL Puderzucker zum Bestäuben

Für die Creme

- 200 g Nougatschokolade
- 150 ml süße Sahne

Für das Mango-Gelee

- 2 Blätter Gelatine
- 150 ml Mangopüree

› Zubereitung des Gelees: Die Gelatine 10 Minuten in kaltem Wasser einweichen. Gut ausdrücken, in einen Topf geben und bei sehr geringer Hitze vorsichtig zerlassen. Das Mangopüree unterrühren. Die Mischung auf einer mit Backpapier belegten Platte verteilen und 2 Stunden kalt stellen.

› Zubereitung der Creme: Die Schokolade hacken. 50 ml Sahne in einem Topf aufkochen. Die Hitze reduzieren, die Schokolade zufügen und unter Rühren schmelzen. Erkalten lassen. Die restliche Sahne schlagen und vorsichtig unter die geschmolzene Schokolade heben. Auch diese Creme 2 Stunden in den Kühlschrank stellen.

› Den Backofen auf 170 °C vorheizen.

› Zubereitung der Biskuits: Zucker und Butter in einer Schüssel schaumig rühren. Die Eier einzeln zufügen und unterrühren. Mit Mehl und Backpulver vermengen. Die Mischung so lange schlagen, bis ein glatter Teig entsteht.

› Aus dem Teig 24 kleine, runde Fladen mit einem Durchmesser von 6–7 cm formen und auf ein mit Backpapier belegtes Backblech legen. Das Maronenpüree darüber träufeln. In den Ofen schieben und 10–12 Minuten backen. Auskühlen lassen.

› Sobald das Gelee fest ist, in 12 Scheiben schneiden, die etwas größer sind als die Kekse (sie imitieren den Käse des Burgers).

› Die Hälfte der Biskuits mit der Schokoladencreme bestreichen und je eine Scheibe Mangogelee darüber legen. Die andere Hälfte der Biskuits auflegen und leicht andrücken. Mit Puderzucker bestäuben und servieren.

AMARETTI-BURGER MIT ZITRONE

ZUBEREITUNGSZEIT: **30 Min.**
+ 2 Std. Kühlzeit
GARZEIT: **12 Min.**

ZUTATEN

Für 6 Burger

Für die Amaretti
- 2 Eiweiß
- 130 g Puderzucker
  + 1 EL zum Bestäuben
- 280 g gemahlene Mandeln
- abgeriebene Schale
  1 unbehandelten Zitrone
- 1 TL Mandelextrakt

Für den Belag
- 300 g Mascarpone
- abgeriebene Schale
  1 unbehandelten Zitrone
- 80 g Zucker
- 1 Apfel (Granny Smith)

Für das Orangengelee
- 2 Blätter Gelatine
- 150 ml Orangensaft

› Zubereitung des Gelees: Die Gelatine 10 Minuten in kaltem Wasser einweichen. Gut ausdrücken, in einen Topf geben und bei sehr geringer Hitze vorsichtig zerlassen. Den Orangensaft unterrühren. Die Mischung auf einer mit Backpapier belegten Platte verteilen und 2 Stunden kalt stellen.

› Den Backofen auf 180 °C vorheizen.

› Zubereitung der Amaretti : In einer Schüssel das Eiweiß mit Puderzucker und gemahlenen Mandeln schaumig schlagen. Mandelextrakt und Zitronenschale zufügen. Die Mischung so lange schlagen, bis ein glatter Teig entsteht.

› Aus dem Teig sechs große Kugeln formen und auf ein mit Backpapier belegtes Backblech legen. Leicht andrücken, um ihnen so die Form eines Burgerbrötchens zu geben. In den Ofen schieben und 10–12 Minuten backen. Abkühlen lassen.

› Zubereitung des Belags: Mascarpone, Zitronenschale und Zucker in einer Schüssel schaumig rühren. Den Apfel waschen und in feine Streifen schneiden.

› Sobald das Gelee fest ist, in sechs Vierecke schneiden, die etwas größer sind als die Amaretti-Burger (sie imitieren den Käse des Burgers).

› Die Amaretti vorsichtig in der Mitte durchschneiden. Die Apfelstreifen auf den Unterhälften verteilen und die Mascarpone-Creme darüber geben. Je ein Viereck Orangengelee auflegen. Die obere Hälfte der Amaretti auflegen, mit Puderzucker bestäuben und servieren.

MENGENANGABEN!

ABKÜRZUNGEN

TL	Teelöffel
EL	Esslöffel

FLÜSSIGKEITEN

metrisches System	amerikanisches System	andere Schreibweise
5 ml	1 Tee- oder Kaffeelöffel	
15 ml	1 Esslöffel	
35 ml	1/8 Tasse	1 oz (oder once)
65 ml	1/4 Tasse	2 oz
125 ml	1/2 Tasse	4 oz
250 ml	1 Tasse	8 oz
500 ml	2 Tassen	
1 Liter		

GEWICHTSEINHEITEN

metrisches System	amerikanisches System	andere Schreibweise
30 g	1/8 oz	
55 g	1/8 lbs	2 oz
115 g	1/4 lbs	4 oz
170 g	3/8 lbs	6 oz
225 g	1/2 lbs	8 oz
500 g	1 Pfund	16 oz

TEMPERATUR

Wärme	° Celsius	Thermostat	° Fahrenheit
Gering	70 °C	2–3	150 °F
	100 °C	3–4	200 °F
Mittel	120 °C	4	250 °F
	150 °C	5	300 °F
Heiß	180 °C	6	350 °F
	200 °C	6–7	400 °F
Sehr heiß	230 °C	7–8	450 °F
	260 °C	8–9	500 °F

DANKE!

Danke nochmals an Barbara und Aurélie von Mango,
die sich dazu entschlossen haben, diese Kochbuchreihe fortzusetzen.
Ein Dank auch an Pierre-Louis zum einen für seine wunderbaren Fotos,
zum anderen für seine Burger-Verkostungen … mit Händen voller Sauce!!!
Dank an meine Freunde Gontran Cherrier, **den** Bäcker in Paris
und Fred, **den** Bäcker in Montaure in der Normandie,
ohne deren vorzügliche Brötchen meine Burger-Kreationen gar nicht möglich gewesen wären,
sowie an Yves Charles, der mir seine vorzüglichen Küchenmesser zur Verfügung stellte
(die man sich im Übrigen auf www.couteau.com auch ansehen und käuflich erwerben kann).

Originaltitel: *Burgers! Hot Dogs et Bagels entre Potes*
ISBN 978-23-17001-48-2

Verlagsleiterin: Barbara Sabatier
Redakteurin: Aurélie Cazenave
Art Direction: Laurent Quellet und Mélissa Chalot
Reproduktion: Amalthéa
Herstellung: Thierry Dubus und Marie Guibert

Genehmigte Sonderausgabe

Übersetzung aus dem Französischen: Annette Mader
Lektorat und Satz: ce redaktionsbüro für digitales publizieren

Gesamtherstellung: h.f.ullmann publishing GmbH, Potsdam

Printed in Slovenia, 2015

ISBN 978-3-8480-0968-8

10 9 8 7 6 5 4 3 2 1
X IX VIII VII VI V IV III II I

News
THE GLOBAL EDITION OF THE NEW YORK TIMES

HAZ TU PEDIDO Y PAGA
BUNS

BURGER! BURGER!
BURGER!
BURGER! BURGER!
BURGER!
BURGER! BURGER!
BURGER!
BURGER! BURGER!
BURGER!
BURGER! BURGER!